ullstein

David Foenkinos *Nathalie küsst*
ist ein ungewöhnlicher Liebesroman.
Hat der Roman in Ihren Augen eine zentrale Botschaft?

Die Botschaft des Romans ist: Liebe ist unsterblich. In jedem Moment kann sie zu einem kommen, selbst wenn man glaubt, sie verloren zu haben. Und: Sie geht oft seltsame Wege.

Was bedeutet Liebe für Sie?

Liebe ist eine zauberhafte Verbindung von Geist und Körper. Und: Es gibt keine Worte dafür, sie zu beschreiben.

Haben Sie jemals einen Menschen so sehr geliebt,
wie Nathalie François liebt?

Jede Liebe ist anders, aber ja, ich habe so sehr geliebt. Der Roman zeigt alle Phasen der Liebe einer Frau mit all ihren widerstreitenden großen Gefühlen.

Mehr zum Autor:

David Foenkinos, 1974 geboren, ist Schriftsteller und Drehbuchautor. Er studierte Literaturwissenschaften an der Sorbonne und Jazz am CIM. Der traurig-schöne Roman, *Nathalie küsst*, stürmte nicht nur die französischen, sondern auch die deutschen Bestsellerlisten.

David Foenkinos

Nathalie küsst

Roman

Aus dem Französischen von
Christian Kolb

Ullstein

Besuchen Sie uns im Internet:
www.ullstein-taschenbuch.de

Ungekürzte Lizenzausgabe im Ullstein Taschenbuch
1. Auflage März 2013
3. Auflage 2013

Titel der Originalausgabe: *La Délicatesse* (erschienen bei © Éditions Gallimard, Paris 2009)
Umschlaggestaltung: bürosüd° GmbH, München unter Verwendung einer Vorlage von Geviert – Büro für Kommunikationsdesign, München
Titelabbildung: © Chris Pritchard/getty images/vetta und Radius Images/getty images
Gesetzt aus der Baskerville
Papier: Pamo Super von Arctic Paper Mochenwangen GmbH
Druck und Bindearbeiten: GGP Media GmbH, Pößneck
Printed in Germany
ISBN 978-3-548-28506-1

Ich könnte mich nicht
zu einer Versöhnung mit den Dingen
bereitfinden, und sollte auch
jeder Augenblick aus der Zeit herausspringen,
um mir einen Kuss zu geben.

Cioran

1

Nathalie war von recht diskreter Natur (die Schweizer Art der Weiblichkeit). Sie hielt sich an die Fußgängerüberwege und hatte so die Zeit des Heranwachsens ohne Erschütterungen durchlaufen. Mit zwanzig sah sie der Zukunft wie einer Verheißung ins Auge. Sie hatte ein heiteres Wesen und liebte es zu lesen. Zwei Eigenschaften, die selten Hand in Hand gehen, denn sie gab traurigen Geschichten den Vorzug. Da eine Neigung zur Literatur für ihren Geschmack nicht handfest genug war, hatte sie beschlossen, ein Betriebswirtschaftsstudium zu absolvieren. Sie gab, unter einer verträumten Hülle, dem Ungefähren wenig Raum. Mit einem merkwürdigen Lächeln im Gesicht konnte sie stundenlang die Entwicklungskurven des Bruttoinlandsprodukts in Estland beobachten. Als sie ins Erwachsenenalter eintrat, dachte sie manchmal an ihre Kindheit zurück. Es waren immer die gleichen Episoden einiger Glücksmomente, die sie auflas. Das Laufen an einem Strand, das Besteigen eines Flugzeugs, das Schlafen in den Armen ihres Vaters. Doch nie sehnte sie die Zeit zurück, niemals. Was bei Frauen, die den Namen Nathalie tragen, eher selten ist.*

* Nathalies haben häufig einen deutlichen Hang zur Nostalgie.

2

Die meisten Liebespaare wiegen sich für ihr Leben gern in dem Glauben, ihre Beziehung weise Züge des Außergewöhnlichen auf, und dennoch sind gerade die unzähligen Verbindungen, die in vollendeter Banalität eingegangen werden, oft mit Details angereichert, die eine leichte Ekstase gestatten. Schließlich sucht man ja bei allem nach einer Deutung.

Nathalie und François sind sich auf der Straße begegnet. Wenn ein Mann eine Frau anspricht, ist das immer eine heikle Sache. Die Frauen stellen sich notgedrungen die Frage: «Kann es nicht sein, dass er seine ganze Zeit damit verbringt?» Die Männer sagen häufig, sie täten es zum ersten Mal. Laut ihrer Version gelangen sie unversehens in den Besitz einer bis dahin nicht gekannten Gnade, durch die sie ihre immerwährende Schüchternheit überwinden können. Die Frauen erwidern instinktiv, sie hätten keine Zeit. Von dieser Regel bildete Nathalie keine Ausnahme. Es war idiotisch, denn sie hatte nichts Großartiges vor, und der Gedanke, dass man sie einfach so anquatschte, gefiel ihr. Das wagte sonst nie jemand. Schon öfter hatte sie sich gefragt: Wirke ich zu unwirsch oder zu schwerfällig? Eine ihrer Freundinnen hatte zu ihr gesagt: «Du siehst aus wie eine Frau, die vom Verrinnen der Zeit verfolgt wird, deswegen spricht dich nie jemand an.»

Wenn ein Mann an eine Unbekannte herantritt, möchte er ihr etwas Nettes sagen. Gibt es ihn, diesen Kamikaze-Mann, der eine Frau aufhalten würde, um ihr an den Kopf zu werfen: «Wie können Sie nur solche Schuhe tragen? Sie pferchen Ihre Zehen wie in einem Gulag zusammen. Sie sind der Stalin Ihrer Füße, eine Schande ist das!» Wer wäre zu so etwas fähig? François, der sich artig auf die Seite der Komplimente schlug, sicherlich nicht. Er bemühte sich, in Worte zu fassen, was unmöglich in Worte zu fassen war: die Verwirrung, die Aufregung. Wieso hatte er sie angehalten? Es lag vor allen Dingen an ihrem Gang. In ihm hatte sich etwas nie Dagewesenes geregt, etwas geradezu Kindliches, wie eine Rhapsodie der Kugelgelenke. Ihre Bewegungen strahlten eine Art rührende Natürlichkeit, eine solche Anmut aus, dass er dachte: Das ist genau die Sorte von Frau, mit der ich gern übers Wochenende nach Genf fahren würde. Da nahm er sein Herz in beide Hände – und hätte in diesem Augenblick gar vier haben wollen. Zumal es für ihn ja wirklich das erste Mal war. Sie sollten sich kennenlernen, hier und jetzt, auf diesem Trottoir. Ein vollkommen klassischer Beginn, der in der Folge oft zu Dingen führt, die weniger klassisch sind.

Stammelnd hatte er die ersten Worte herausgebracht, und plötzlich strömte alles klar und rein aus ihm hervor. Die leicht pathetische, doch ungeheuer herzergreifende Kraft der Verzweiflung trieb seine Rede an. Das ist die große Magie des Widersinns: Die Situation war derart unbehaglich, dass er sich mit Eleganz aus der Affäre zog. Er schaffte es sogar binnen einer halben Minute, sie zum Lächeln zu bringen. Damit war der Abgrund der Anonymität übersprungen. Sie willigte ein, mit ihm einen Kaffee zu trinken, und er begriff, dass sie überhaupt nicht in Eile war. Eben mal so mit einer Frau einen Moment verbringen zu dürfen, kaum, dass sie in sein Blickfeld geraten war, empfand er als äußerst erstaunlich. Auf der Straße den Frauen hinterherzusehen, hatte ihm schon immer gut gefallen. Er erinnerte sich sogar, dass er einmal so etwas wie ein romantischer Jüngling gewesen war, in der Lage, Töchtern aus gutem Hause bis an die Wohnungstür zu folgen. In der Metro wechselte er manchmal das Abteil, um einer Passagierin nah zu sein, die er von Weitem ausgekundschaftet hatte. Er unterwarf sich der Diktatur der Sinne und hing dennoch romantischen Vorstellungen an, glaubte, man könne die gesamte Frauenwelt auf eine einzige Frau beschränken.

Er fragte, was sie trinken wolle. Ihre Wahl würde den Ausschlag geben. Er dachte: Wenn sie einen koffeinfreien Kaffee bestellt, stehe ich auf und gehe. Bei dieser Art von Rendezvous gibt es kein Recht, koffeinfreien Kaffee zu trinken. Das ist das ungeselligste Getränk überhaupt. Tee ist da wohl nicht besser. Gerade erst hat man sich kennengelernt, schon schleicht sich ein leicht träges Cocooning ein. Man sieht die Sonntagnachmittage vor dem Fernseher heraufziehen. Oder schlimmer noch: bei den Schwiegereltern. Genau, Tee sorgt unzweifelhaft für Schwiegerelternstimmung. Also was? Alkohol? Nein, das wäre zu dieser Uhrzeit nicht das Richtige. Eine Frau, die ohne Grund schlagartig zu trinken anfängt, ist furchteinflößend. Nicht einmal ein Glas Rotwein wäre angebracht. François wartete weiter darauf, dass sie ihre Entscheidung treffen würde, und fuhr derweilen in seiner flüssigen Analyse des ersten Eindrucks einer Frau fort. Was blieb jetzt noch übrig? Cola oder irgendein anderes kohlensäurehaltiges Getränk ... Nein, ausgeschlossen, das hatte überhaupt nichts Weibliches. Dann kann sie auch gleich einen Strohhalm dazu verlangen. Ein Fruchtsaft, sagte er sich schließlich, wäre gut. Genau, ein Fruchtsaft, das ist nett. Gesellig und nicht zu aufdringlich. Man fühlt, dass man es mit einem sanften und ausgeglichenen Wesen zu tun hat. Doch welcher Fruchtsaft? Den großen Klassikern geht man lieber aus dem Weg: Apfel oder Orange, das kennt man zur Genüge. Es sollte etwas ein klein wenig Originelles sein, das dabei jedoch nicht exzentrisch wirkt. Papaya oder Guave, da bekommt man es mit der Angst zu tun. Nein, am besten wäre so ein Mittelding wie zum Beispiel Aprikose. Stimmt, jetzt hab ich's. Aprikosensaft ist super. Wenn sie den nimmt, heirate ich sie, dachte François. Just in diesem Augenblick sah Nathalie von der Karte auf, als kehrte sie von einem langen Gedankengang zurück. Vom gleichen Gedankengang, den auch der Unbekannte, der ihr gegenübersaß, soeben hatte.

«Ich glaube, ich nehme einen Saft ...»

«... ?»

«Einen Aprikosensaft.»

Er starrte sie an, als wäre sie aus der Wirklichkeit über ihn hereingebrochen.

Der Grund, warum sie sich auf diesen Fremden eingelassen und sich zu ihm gesetzt hatte, war, dass sie seinem Charme erlegen war. Diese Mischung aus Unbeholfenheit und Zielstrebigkeit hatte ihr auf Anhieb gefallen, ein Auftreten irgendwo zwischen Pierre Richard und Marlon Brando. Er hatte etwas, das sie an Männern mochte: Er schielte leicht. Ganz leicht, aber dennoch erkennbar. In der Tat verwunderlich, dass ihr dieses Detail an ihm auffiel. Und dann hieß er auch noch François. Sie hatte diesen Vornamen immer geliebt. Geschmackvoll und gelassen wie das Bild, das sie von den 50er-Jahren hatte. Jetzt redete er mit immer größerer Leichtigkeit. Zwischen ihnen entstanden keine Gesprächspausen, es gab keine Verlegenheit, keine Anspannung. Innerhalb von zehn Minuten war die Eingangsszene, in der er sie auf der Straße angesprochen hatte, in Vergessenheit geraten. Es kam ihnen so vor, als würden sie sich bereits kennen, als träfen sie sich, weil sie verabredet waren. Die Einfachheit war erschlagend. Sie erschlug alle früheren Rendezvous, bei denen es darum gegangen war, witzig zu sein und sich ins Zeug zu legen, um sich als anständiges Geschöpf zu präsentieren. Die Offensichtlichkeit geriet geradezu lachhaft. Nathalie sah diesen Kerl an, der ihr kein Unbekannter mehr war, dessen Anonymitätspartikel unter ihren Augen langsam dahinschwanden. Sie versuchte, sich zu erinnern, wohin sie gewollt hatte, als sie ihn traf. Es war ihr nicht ganz klar. Zielloses Umherstreifen gehörte eigentlich nicht zu ihrer Art. War sie nicht im Begriff, auf den Spuren dieses Cortázar-Romans zu wandeln, den sie unlängst gelesen hatte? Die Literatur hatte Einzug in ihr Leben gehalten. Genau, so war's, sie hatte *Rayuela. Himmel und Hölle* gelesen, und besonders hatten es ihr die Stellen angetan, an denen die Helden es darauf abgesehen haben, sich auf der Straße gegenseitig in die Arme zu laufen, und dazu *Wege einschlagen, die aus dem Satz eines Clochards entstanden waren*. Am Abend verfolgten sie ihre Routen auf der Karte zurück, um zu sehen, wann sie hätten aufeinandertreffen können, wann sie wohl haarscharf aneinander vorbeigelaufen waren. Dahin hatte sie also gewollt: in einen Roman.

3

Nathalies drei Lieblingsbücher

Die Schöne des Herrn
von Albert Cohen

Der Liebhaber
von Marguerite Duras

Die Geometrie der unwägbaren Beziehungen
von Dan Franck

4

François war im Finanzwesen tätig. Es genügte, sich fünf Minuten in seiner Gesellschaft aufzuhalten, um zu dem Schluss zu gelangen, dass dieses Gewerbe so wenig zu ihm passte wie die wirtschaftliche Berufung zu Nathalie. Vielleicht ist es das Diktat der praktischen Veranlagung, das sich der eigentlichen Bestimmung immer in den Weg stellt. Schwer denkbar allerdings, dass er das Metier wechseln könnte. Obwohl wir ihn in dem Augenblick, in dem er Nathalie kennenlernte, als nahezu schüchternen Menschen erlebt haben, steckte er voller Lebenskraft, sprühte vor Ideen und Temperament. Mit diesem Elan wäre er auch in jedem anderen Beruf erfolgreich gewesen, sogar als Krawattenvertreter. Er war jemand, den man sich prächtig vorstellen konnte, wie er, mit dem Köfferchen in der einen Hand, mit der anderen Hände schüttelte, deren Besitzer er gleichzeitig am liebsten die Kehle zugedrückt hätte. Er verfügte über den enervierenden Charme jener Leute, die einem jeden Dreck verkaufen können. Von ihm ließ man sich dazu breitschlagen, im Sommer Ski zu fahren und in isländischen Seen zu schwimmen. Er gehörte zu der Sorte von Männern, die einmal auf der Straße eine Frau ansprechen und gleich auf die richtige stoßen. Alles schien ihm zu gelingen. Finanzwesen, na, warum nicht. Er war einer von diesen Spekulantenlehrlingen, die, während sie mit Millionen jonglie-

ren, sich auf ihre jüngst gespielten Monopoly-Partien besinnen. Sobald er jedoch das Bankgebäude verließ, war er ein anderer Mensch. Der Aktienindex blieb in seinem Büroturm zurück. Das Geschäftliche hielt ihn nicht davon ab, weiterhin seinen Hobbys zu frönen. Vor allen Dingen liebte er es zu puzzeln. Das mag merkwürdig erscheinen, doch nichts lenkte sein überschäumendes Gemüt besser in die rechten Bahnen, als hie und da einen Samstag damit zu verbringen, Tausende von Teilen zusammenzusetzen. Nathalie gefiel es, ihren Verlobten zu beobachten, wenn er sich im Wohnzimmer niederkauerte. Eine stumme Darbietung. Und dann sprang er plötzlich auf und rief: «Los, komm, lass uns rausgehen!» Dies ist nun der letzte Punkt, den wir festhalten müssen: Er war kein Freund der sanften Übergänge, mochte klare Zäsuren, ging vom Schweigen in regelrechtes Tosen über.
Mit François verflog die Zeit in rasendem Tempo. Man hätte fast glauben können, er besäße die Fähigkeit, bestimmte Tage zu überspringen, exotische Wochen ohne Donnerstag zu erschaffen. Kaum hatten sie sich kennengelernt, schon feierten sie ihr Zweijähriges. Zwei Jahre ungetrübten Glücks, für jeden Tollpatsch ein Schlag ins Gesicht. Sie wurden bewundert wie Champions. Sie trugen das Gelbe Trikot der Liebe. Nathalie glänzte in ihrem Studium und gab sich alle Mühe, François im Alltag zu entlasten. Dadurch, dass ihre Wahl auf einen Mann gefallen war, der ein klein wenig älter war als sie und bereits eine berufliche Stellung hatte, hatte sie aus ihrem Elternhaus ausziehen können. Aber da sie sich von ihm nicht aushalten lassen wollte, hatte sie sich entschlossen, ein paar Tage in der Woche als Platzanweiserin in einem Theater zu

arbeiten. Sie war glücklich über diesen Job, der für sie einen Ausgleich zum etwas trockenen Klima an der Universität darstellte. Wenn die Zuschauer ihre Plätze eingenommen hatten, setzte sie sich in die letzte Reihe. Sie sah die Stücke, die sie in- und auswendig kannte, führte die gleichen Lippenbewegungen wie die Schauspielerinnen aus und verneigte sich, wenn das Publikum Beifall klatschte, ehe sie anschließend das Programmheft verkaufte.

Da sie mit den Stücken bestens vertraut war, hatte sie ihren Spaß daran, den Alltag mit einschlägigen Dialogen zu spicken, das Wohnzimmer zu durchmessen und dabei zu miauen, dass die Miezekatze tot sei. An den vergangenen Abenden war *Lorenzaccio* von Alfred de Musset gegeben worden, und so streute sie ungeordnet und vollkommen zusammenhangslos hin und wieder einige Passagen ein: «Der Ungar hat recht. Komm hier entlang.» Oder auch: «Wer kriecht da im Dreck? Wer schreit da so grässlich vor meinen Palastmauern?» Das waren die Töne, die François an jenem Tag zu hören bekam, als er gerade um Konzentration bemüht war.

«Kannst du nicht ein bisschen leiser sein?», bat er.

«Okay, einverstanden.»

«Ich bin hier mit einem äußerst wichtigen Puzzle beschäftigt.»

Nathalie verhielt sich also rücksichtsvoll, denn sie hatte Achtung vor dem Eifer ihres Verlobten. Dieses Puzzle war anscheinend anders als die anderen. Kein Motiv zu erkennen, keine Schlösser, keine Menschen. Lediglich ein weißer Hintergrund, vor dem sich rote Schlaufen abzeichneten. Die

Schlaufen entpuppten sich als Buchstaben. Es handelte sich um eine Mitteilung in Puzzleform. Nathalie ließ das soeben aufgeschlagene Buch sinken und beobachtete das Voranschreiten des Puzzles. Von Zeit zu Zeit wandte François ihr den Kopf zu. Das Enthüllungsdrama strebte seiner Lösung entgegen. Nur noch wenige Teile, und Nathalie konnte die Botschaft schon erahnen, eine aus Hunderten von Einzelteilen bestehende Botschaft, bis ins Kleinste ausgeklügelt. Tatsächlich, jetzt konnte sie entziffern, was da geschrieben stand: «Willst du meine Frau werden?»

5

Siegerpodest der Puzzle-Weltmeisterschaft, die vom 27. Oktober bis 1. November 2008 in Minsk stattfand

1. Platz:
Ulrich Voigt (Deutschland): 1464 Punkte

2. Platz:
Mehmet Murat Sevim (Türkei): 1266 Punkte

3. Platz:
Roger Barkan (Vereinigte Staaten): 1241 Punkte

6

Um die Schönheit eines mechanischen Ablaufs nicht durcheinanderzubringen, war die Hochzeitsfeier ein voller Erfolg. Einfach und angenehm, nicht zu ausgefallen, aber auch nicht schmucklos. Pro Gast gab es eine Flasche Champagner, sehr praktisch. Die Stimmung war wirklich prima. Bei einer Hochzeit ist es Pflicht, feierlich gestimmt zu sein. Viel feierlicher als bei einem Geburtstag. Es gibt eine Hierarchie der feierlichen Stimmungsgebote, und da steht die Hochzeit ganz oben. Man muss lächeln, tanzen und später dann die Alten ins Bett schicken. Nathalies Schönheit darf indessen nicht unerwähnt bleiben, sie hatte vermehrt an ihrem Erscheinungsbild gefeilt und seit Wochen ihr Gewicht und ihren Gesichtsausdruck trainiert. Das Training zahlte sich rundum aus: Sie befand sich auf dem Gipfel ihrer Pracht. Ergriffen erkannte François, dass dieser einzigartige Augenblick festgehalten werden musste, so wie Armstrong die amerikanische Flagge auf dem Mond aufgeschlagen hatte. Tiefer als alle anderen schrieb er sich ihn ins Gedächtnis ein. Vor ihm stand seine Frau, und er wusste, im Angesicht des Todes würde dieses Bild erneut vor ihm erscheinen. Er war also auf dem Höhepunkt des Glücks angekommen. Nathalie stand auf, ergriff das Mikrofon und sang einen

Beatles-Song*. François fuhr total auf John Lennon ab. Zu dessen Ehren hatte er sich übrigens weiß gekleidet. Als das Brautpaar tanzte, ging das Weiß des einen somit in das Weiß des anderen über.

Leider setzte Regen ein. Der sollte die Gäste davon abhalten, draußen frische Luft zu schnappen und in die eigens für sie angebrachten Sterne zu schauen. In solchen Fällen klopfen die Leute gern dumme Sprüche, hier: «Regen bringt Segen.» Warum ist man ständig derart unsinnigen Floskeln ausgesetzt? Wirklich schlimm war das natürlich nicht. Es regnete, und das war eben ein bisschen traurig, nichts weiter. Die Ausmaße des Fests stellten sich nicht mehr dar wie zuvor, man hatte es um seine Augenblicke unter freiem Himmel gebracht. Die Laune vieler wurde durch das Beobachten des immer stärker werdenden Regens bald gedämpft. Manche sollten früher nach Hause fahren als gedacht. Andere sollten weitertanzen, genauso gut hätte es schneien können. Wieder andere standen unschlüssig herum. Zählte für das Brautpaar wirklich ihre Anwesenheit? Im Glück kommt der Moment, in dem man in der Menge ganz für sich ist. Ja, im Wirbel der Walzer und Melodien waren sie ganz für sich. «Wir müssen uns drehen, solange wir können», sagte er, «solange, bis wir nicht mehr wissen, wo oben und unten ist». Ihre Köpfe waren vollkommen leer. Zum ersten Mal erlebten beide das Leben in seiner einzigartigen und absoluten Fülle: der Fülle der Gegenwart.

* Here, There and Everywhere (1966)

François schlang einen Arm um Nathalies Hüfte und zog seine Gemahlin nach draußen. Im Sauseschritt eilten sie durch den Garten. «Du hast einen Knall», bemerkte sie, doch erfüllte sie dieser Knall mit dem Knall der Glückseligkeit. Klatschnass suchten sie einen Unterschlupf unter den Bäumen. In tiefer Nacht und im strömenden Regen ließen sie sich auf der schlammigen Erde nieder. Das Weiß der Gewänder war jetzt nicht mehr als eine Erinnerung. François hob das Kleid hoch und gestand, dass er das schon den ganzen Abend lang hatte tun wollen. Er hätte es gleich in der Kirche tun können. Eine unverzügliche Art, den beiden Jaworten Respekt zu zollen. Bis zu diesem Moment hatte er sein Begehren im Zaum gehalten. Nathalie war erstaunt von seinem Ungestüm. Ihr Denken hatte schon vor einer Weile ausgesetzt. Sie ließ sich leiten von ihrem Mann, war bemüht, korrekt zu atmen und nicht davongetragen zu werden von einem solchen Sturm. Ihr Verlangen schloss sich François' Verlangen an. So sehr wollte sie jetzt flachgelegt werden, in ihrer ersten Nacht als Mann und Frau. Sie harrte aus und fasste sich in Geduld, und François wirbelte eine Menge Staub auf, François war von einem irren Tatendrang beseelt, von einer ungezügelten Fleischeslust. Jedoch, als er in sie eindringen wollte, geriet er ins Stocken. Vielleicht eine Angst, die angesichts eines zu vehementen Glücks auftrat, doch nein, es war etwas anderes, was ihm in diesem Moment zu schaffen machte. Und was ihn zurückhielt. «Was ist denn los?», erkundigte sie sich. Und er erwiderte: «Nichts … nichts … es ist bloß, weil ich zum ersten Mal mit einer verheirateten Frau schlafe.»

7

Beispiele von dummen Sprüchen, die die Leute so gern hervorbringen

Auf Regen folgt Sonnenschein.

Trautes Heim, Glück allein.

Ein Lächeln ist die kürzeste Verbindung zwischen zwei Menschen.

8

Sie waren in die Flitterwochen aufgebrochen, hatten Fotos geschossen und waren wieder nach Hause gefahren. Nun galt es, den ernsten Teil des Lebens anzugehen. Vor über sechs Monaten hatte Nathalie ihr Studium abgeschlossen. Bis hierher hatte sie die Hochzeitsvorbereitungen als Alibi benutzt, um nicht auf Arbeitssuche gehen zu müssen. Eine Eheschließung ist vergleichbar mit der Regierungsbildung nach einem Krieg. Und was geschieht mit den Kollaborateuren?

Die Komplexität des Ereignisses rechtfertigt, dass man sich mit nichts anderem beschäftigt. Na ja, das stimmt so nicht ganz. Vor allem hatte sie Zeit für sich haben wollen, zum Lesen, zum Bummeln, als hätte sie gewusst, dass sie diese Zeit in der Folge nicht mehr haben würde. Dass das Berufsleben von ihr Besitz ergreifen würde, und das Eheleben erst recht.

Es wurde Zeit, Vorstellungsgespräche zu führen. Nach einigen Anläufen wurde ihr klar, dass die Sache gar nicht so einfach werden würde. Sah so das ganz normale Leben aus? Dennoch war sie der Ansicht, einen allgemein anerkannten Abschluss und die Erfahrung einiger grundlegender Praktika erworben zu haben, eine Erfahrung, die sich nicht darauf beschränkte, zwischen zwei Fotokopien Kaffee zu servieren. Sie war zu einem Bewerbungsgespräch in einer schwedischen Firma verabredet. Zu ihrer Überraschung wurde sie sogleich vom Chef und nicht vom Leiter der Personalabteilung empfangen. Er wollte, was die Anstellung von Mitarbeitern betraf, alles unter Kontrolle haben. So weit seine offizielle Version. Der wahre Anlass war deutlich konkreter: Er war ins Büro des Personalabteilungsleiters gekommen, wo sein Blick auf Nathalies Lebenslauf und ihr Foto gefallen war. Ein ziemlich seltsames Foto: Es erschien ihm nicht wirklich möglich, ihr Äußeres einzuschätzen. Natürlich ließ sich erahnen, dass sie nicht unattraktiv war, doch was die Aufmerksamkeit des Chefs auf sich zog, war etwas anderes. Er hätte es nur schwer in Worte fassen können. Es glich mehr einem Gefühl: Dem Eindruck der Besonnenheit. Genau, das war die Empfindung, die er hatte. Er fand, diese Frau wirkte besonnen.

Schwedischer Herkunft war Charles Delamain nicht. Doch man brauchte nur sein Büro zu betreten, schon fragte man sich, ob er, wohl um seinen Beteiligungsgesellschaftern eine Freude zu machen, es nicht darauf anlegte, eine solche anzunehmen. Auf einem Ikea-Möbel stand ein Teller, auf dem ein paar Brötchen lagen, von der Sorte, die viele Krümel macht.

«Ich habe mir Ihren Werdegang mit großem Interesse angesehen ... und ...»

«Ja?»

«Sie tragen ja einen Ehering. Sind Sie verheiratet?»

«Äh ... ja.»

Es entstand eine Pause. Charles hatte den Lebenslauf der jungen Frau mehrmals begutachtet, aber dass sie verheiratet war, war ihm nicht aufgefallen. Da sie seine Frage bejahte, warf er einen erneuten Blick auf das Papier. Sie war tatsächlich verheiratet. Als habe das Foto seinen Verstand benebelt und ihm den Familienstand dieser Frau verschleiert. Aber war das letztendlich wichtig? Das Vorstellungsgespräch musste weitergehen, es durfte keine etwaige Verlegenheit aufkommen.

«Und wollen Sie Kinder haben?», fuhr er fort.

«Im Augenblick nicht», entgegnete Nathalie, ohne im Geringsten zu zögern.

Bei einem Einstellungsgespräch mit einer jungen Frau, die gerade geheiratet hat, mag einem eine solche Frage vollkommen normal vorkommen. Doch Nathalie spürte, dass etwas anderes in der Luft lag, hätte allerdings nicht näher bestimmen können, was das war. Charles hatte das Reden eingestellt und starrte sie an. Endlich stand er auf und nahm sich ein Schwedenbrötchen.

«Möchten Sie ein Knäckebrot?»

«Nein danke.»

«Sie sollten eins nehmen.»

«Sehr freundlich, aber ich habe keinen Hunger.»

«Sie müssen sich daran gewöhnen. Es gibt hier nichts anderes.»

«Wollen Sie damit sagen ... dass ...»

«Ja.»

9

Manchmal hatte Nathalie den Eindruck, dass die Leute sie um ihr Glück beneideten. Es handelte sich lediglich um ein vorübergehendes und unbestimmtes Gefühl, nichts wirklich Greifbares. Aber es war vorhanden. Nährte sich von Kleinigkeiten, von einem leise angedeuteten Lächeln, das jedoch Bände sprach, von einem Blick, den man ihr zuwarf. Niemand wäre darauf gekommen, dass ihr ihr Glück zuweilen Angst machte, Angst, es könne ein drohendes Unglück in sich bergen. Wenn sie den Satz «Ich bin glücklich» aussprach, hielt sie zuweilen inne: teils aus einer Art Aberglaube, teils aufgrund der Erinnerung an all die Momente, in denen das Glück schließlich in Unglück umgeschlagen war ...

Bei der Hochzeit bildeten Freunde und Familienmitglieder den *Mittelpunkt des Kreises, der gesellschaftlichen Druck erzeugt.* Der Kreis forderte die Geburt eines Kindes ein. Musste das Leben dieser Leute so langweilig sein, dass ihnen nichts Besseres einfiel, als sich über das der anderen zu erregen? So ist es immer. Man steht unter dem Pantoffel der Bedürfnisse anderer. Nathalie und François wollten nicht der Stoff der Fortsetzungsgeschichten sein, an denen ihr Umfeld strickte. Fürs Erste gefiel ihnen die Vorstellung von einem Leben zu zweit, allein auf der Welt, vom vollendeten Klischee der Liebesleichtigkeit. Seitdem sie sich kennengelernt hatten, hatte sie der Schwung ihrer totalen Unabhängigkeit getragen. Sie hatten es geliebt, auf Reisen zu gehen, und daher den leisesten Anflug eines sonnigen Wochenendes genutzt, um in einer romantischen Unschuld Europa zu durchkämmen. Augenzeugen ihrer Liebe hätten die beiden in Rom, Lissabon oder auch in Berlin antreffen können. Das Reisen hatte ihnen mehr als alles andere das Gefühl gegeben, eins zu sein. Bei ihnen war es zudem Ausdruck eines echten Sinns fürs Romaneske. An schwärmerischen Abenden erzählten sie sich immer wieder ihre erste Begegnung, riefen sich freudig jedes Detail ins Gedächtnis und priesen die Schläue des Zufalls. Sie waren, liebesmythologisch betrachtet, wie Kinder, denen man unermüdlich die gleiche Geschichte vorliest.

Also in der Tat, dieses Glück konnte einem Angst machen.

Vom Alltagstrott hatten sie sich nicht erschüttern lassen. Obwohl sie beide immer mehr arbeiteten, richteten sie es so ein, dass sie sich sehen konnten. Selbst wenn sie nur geschwind zusammen frühstückten. Ratzfatz frühstücken, wie François zu sagen pflegte. Und Nathalie liebte dieses Wort. Sie stellte sich ein zeitgenössisches Gemälde vor, auf dem ein Mann und eine Frau zu erkennen waren, die gerade ratzfatz frühstückten, so wie man früher bei Manet im Grünen gefrühstückt hatte. Das ist ein Bild, das Dalí hätte malen können, meinte sie. Manchmal findet man einen Satz vortrefflich und verschenkt sein Herz an ihn, ohne dass diejenige, die ihn ausgesprochen hat, etwas davon mitbekommt. François mochte den Gedanken an ein potenzielles Gemälde von Dalí, daran, dass seine Frau imstande war, sich die Geschichte der Malerei zusammenzuphantasieren und sogar neu zu schreiben. Eine Form von ins Extreme getriebener Naivität. Er keuchte, er wollte auf der Stelle sein Verlangen nach ihr stillen, sie vernaschen, hier und jetzt. Ein Ding der Unmöglichkeit, sie musste los. Also würde er warten bis zum Abend und sich dann mit der Begierde, die sich im Laufe langer frustrierter Stunden angestaut haben würde, auf sie stürzen. Ihr Sexualleben wurde mit der Zeit offenbar nicht eintönig. So etwas kommt selten vor: Jeder neue Tag wies noch immer Spuren des ersten Tages auf.

Ansonsten bemühten sie sich, weiterhin am gesellschaftlichen Leben teilzunehmen, Freunde zu treffen, ins Theater zu gehen und den Großeltern mit überraschenden Besuchen aufzuwarten. Sie wollten sich nicht abkapseln. Nicht in die Trägheitsfalle tappen. So zogen die Jahre vorüber, und alles erschien so spielend leicht. Während andere Leute all ihre

Kräfte aufbieten mussten. Diese Redensart wollte Nathalie nicht eingehen: «Liebe ist schön, macht aber viel Arbeit.» Für sie waren die Dinge entweder einfach oder eben nicht. So lässt's sich leicht sinnieren, wenn alles rund läuft, wenn nie ein Wölkchen aufzieht. Na ja, manchmal. Doch das Glück von Nathalie und François ging so weit, dass man sich fragte, ob sie sich vielleicht nur um der Freude der Versöhnung willen stritten. Wohin sollte das noch führen? So viel Triumph hatte etwas geradezu Beunruhigendes. Bei aller Leichtigkeit, diesem bei Menschen selten auftretenden Phänomen, verstrich die Zeit.

10

Reiseziele, die Nathalie und François demnächst anpeilten

Barcelona

Miami

La Baule

11

Damit die Zeit vergeht, bedarf es allein der Atmung. Nathalie arbeitete bereits seit fünf Jahren in ihrer schwedischen Firma. Fünf bewegte Jahre, es ging die Gänge auf und ab, den Fahrstuhl rauf und runter. Die Strecke, die sie zurückgelegt hatte, entsprach fast der zwischen Paris und Moskau. Fünf Jahre, in denen sie eintausendzweihundertzwölf Tassen Kaffee vom Automaten getrunken hatte. Davon dreihundertvierundzwanzig im Rahmen der vierhundertzwanzig Besprechungen mit Kunden. Charles schätzte sich überaus glücklich, dass er sie zu seinen engsten Mitarbeiterinnen zählen durfte. Häufig zitierte er sie in sein Büro, einfach nur, um ihr sein Lob auszusprechen. Zugegeben, das tat er am liebsten abends. Wenn alle anderen schon weg waren. Doch daran war nichts Anstoßerregendes. Er hegte so viele zärtliche Gefühle für sie und genoss die Augenblicke, in denen sie allein waren. Natürlich versuchte er, eine Grundlage für doppelbödige Bemerkungen zu schaffen. Jede andere Frau hätte seine Masche durchschaut, doch Nathalie war von einem eigenartig monogamen Dunst umgeben. Pardon, von einem Liebesdunst. Diese Art von Dunst, die für alle anderen Männer, aber auch für jeglichen objektiven Verführungsversuch blind macht. Charles amüsierte sich darüber, er malte sich diesen François wie einen Abgott aus. Vielleicht war ihm auch der Umstand, dass sie nie auf die Avancen, die er ihr machte, einging, so etwas wie eine Herausforderung. Früher oder später würde es ihm sowieso gelingen, sie auf glattes Parkett zu führen, sei es auch nur geringfügig glatt. Hin und wieder änderte er seine Meinung radikal, und dann bereute er, sie eingestellt zu haben. Der tägliche Anblick dieser unerreichbaren Frau zehrte ihn aus.

Das in den Augen der anderen privilegierte Verhältnis, das Nathalie zum Chef unterhielt, rief Spannungen hervor. Sie bemühte sich, den Unfrieden beizulegen und sich nicht in die schäbigen Niederungen eines Bürobetriebs hinabziehen zu lassen. Wenn sie Charles auf Distanz hielt, dann auch deswegen. Um nicht in die altmodische Rolle des Günstlings zu schlüpfen. Womöglich schraubten ihre Eleganz und das Ansehen beim Chef, das sie genoss, die Ansprüche an sie noch höher. Das war ihr Eindruck, sie war sich nicht sicher, ob er auch gerechtfertigt war. Alle prophezeiten dieser bestechenden, zielstrebigen und fleißigen Frau übereinstimmend eine große Zukunft im Konzern. Die schwedischen Aktionäre hatten mehrfach von ihren fabelhaften Initiativen Wind bekommen. Der dadurch ausgelöste Neid äußerte sich in Schlägen unter die Gürtellinie. In Versuchen, sie aus ihrem seelischen Gleichgewicht zu bringen. Sie beklagte sich nicht, und wenn sie abends nach Hause kam, war es nie ihre Art, François etwas vorzujammern. Damit ließ sie auch durchblicken, dass ihr das läppische Theater der Ambitionen im Grunde nicht so wichtig war. Ihre Gabe, Probleme an sich abprallen zu lassen, galt als Stärke. Vielleicht war das ihre schönste Eigenschaft: die, ihre Schwächen nicht in den Vordergrund zu stellen.

12

Entfernung zwischen Paris und Moskau

2478 Kilometer

13

Am Wochenende war Nathalie oft fix und fertig. Die Sonntage verbrachte sie gern mit einem Buch auf dem Sofa, wo sie sich abwechselnd der Lektüre und, wenn ihr Bedürfnis nach Schlaf stärker als das nach Dichtkunst war, ihren Träumereien hingab. Sie legte sich eine Decke über die Beine, und was noch? Ach ja, meist machte sie sich eine Kanne Tee, die sie Tasse für Tasse trank, in kleinen Schlucken, als handle es sich bei diesem Tee um eine unerschöpfliche Quelle. An jenem Sonntag, als es geschah, las sie in einem dicken russischen Roman eines Schriftstellers, der seltener als Tolstoi oder Dostojewski gelesen wird und zum Nachdenken über die Vergehen der Nachwelt anregen kann. Ihr gefiel der müde Held, der unfähig war, zur Tat zu schreiten, dem Tagwerk den Stempel seiner Dynamik aufzudrücken. Seine Schwäche hatte etwas Trauriges. Wie beim Tee mochte sie auch an Romanen das Zyklische.

François näherte sich ihr: «Was liest du denn?» Das sei so ein russischer Autor, entgegnete sie, doch ging nicht weiter auf ihn ein, denn es schien ihr, als habe er die Frage routinemäßig, nur aus Höflichkeit gestellt. Sonntag. Ihr beliebte es zu lesen, ihm beliebte es zu laufen. Er trug diese Shorts, die sie ein wenig lächerlich fand. Dass sie ihn zum letzten Mal sah, konnte sie nicht ahnen. Er hopste durchs Wohnzimmer. Es war so seine Art sich aufzuwärmen, vor dem Start atmete er immer schwer, als ginge es darum, eine große Leere zu hinterlassen. Das sollte er schaffen, so viel steht fest. Bevor er loslief, beugte er sich noch zu seiner Frau herab und sagte etwas zu ihr. Merkwürdig, an diese Worte würde sie sich später nicht erinnern können. Die letzten Worte, die sie wechselten, sollten unauffindbar sein. Obendrein übermannte sie der Schlaf.

Als sie wieder erwachte, fragte sie sich, wie lange sie wohl weggedöst war. Zehn Minuten oder eine volle Stunde? Sie goss sich ein bisschen Tee ein. Er war noch warm. Das war ein Hinweis. Alles schien unverändert. Genau die gleiche Situation wie vor dem Einschlafen. Ja, alles war genau wie zuvor. Während die gleiche Situation wie zuvor zurückkehrte, läutete das Telefon. In einer seltsamen Übereinstimmung ihrer Empfindungen vermischte sich das Klingeln des Telefons mit dem Dampfen des Tees. Nathalie hob ab. Einen

Augenblick später war ihr Leben nicht mehr das gleiche. Instinktiv markierte sie mit einem Lesezeichen die Stelle in ihrem Buch und stürzte nach draußen.

14

Als sie die Eingangshalle des Krankenhauses erreichte, war sie unschlüssig, was sie nun sagen, was sie tun sollte. Einen langen Augenblick stand sie wie versteinert herum. An der Rezeption sagte man ihr schließlich, wo sich ihr Mann befand. Reglos hingestreckt sah sie ihn daliegen. Ihr Gedanke war: Sieht so aus, als würde er schlafen. Er bewegt sich nie im Schlaf. Und da, in jenem Moment, hatte es den Anschein, als sei dies einfach eine Nacht wie jede andere.

«Wie groß sind seine Überlebenschancen?», erkundigte sich Nathalie beim Doktor.

«Minimal.»

«Was bedeutet das? Heißt minimal, dass er überhaupt keine Überlebenschance hat? Wenn das der Fall ist, bitte sagen Sie mir, dass er überhaupt keine hat.»

«Das lässt sich nicht sagen, Madame. Eine winzige Chance besteht. Man kann nie wissen.»

«Na, das sollten Sie aber wissen! Das ist Ihre Aufgabe, das zu wissen!»

Sie hatte diesen letzten Satz aus Leibeskräften geschrien. Mehrmals. Dann war sie verstummt. Sie hatte den Arzt angestiert, der seinerseits fast erstarrte, wie gelähmt. Er hatte schon etliche dramatische Szenen miterlebt. Doch hier hatte er es mit einer höheren Stufe des Leids zu tun, das spürte er, ohne dass er hätte erklären können woran. Er sah in das vom Schmerz gezeichnete Gesicht dieser Frau. Sie war so ausgedörrt von ihren Qualen, dass sie zu weinen außerstande war. Sie bewegte sich auf ihn zu, hilflos entrückt. Ehe sie darniedersank.

Als sie wieder zu sich kam, erkannte sie ihre Eltern. Und François' Eltern. Eben hatte sie doch noch gelesen, und nun war sie plötzlich nicht mehr bei sich zu Hause. Die Wirklichkeit fügte sich langsam wieder zusammen. Sie wollte die Zeit, das Rad dieses Sonntags zurückdrehen und wieder in ihren Schlaf eintauchen. Das konnte nicht wahr sein. Das kann nicht wahr sein, in einer irrsinnigen Litanei betete sie unentwegt diesen Satz her. Man gab ihr zu verstehen, er liege im Koma. Es sei noch nichts verloren, doch sie spürte wohl, dass alles aus war. Sie wusste es. Zum Kämpfen fehlte ihr die Energie. Wozu kämpfen? Um ihn noch eine Woche am Leben zu halten? Und dann? Sie hatte ihn liegen sehen. Hatte gesehen, wie leblos er dalag. Aus solch einer Leblosigkeit kehrt man nicht wieder zurück. Man bleibt so für immer liegen.

Sie bekam Beruhigungsmittel. Alle und alles um sie herum war zusammengebrochen. Und es musste geredet werden. Man musste sich gegenseitig wieder aufrichten. Es überstieg ihre Kräfte.

«Ich will bei ihm bleiben. An seinem Bett Wache halten.»

«Nein, das bringt doch nichts. Fahr lieber mit uns nach Hause und ruh dich ein wenig aus», riet ihr ihre Mutter zu.

«Ich will mich nicht ausruhen. Ich muss hierbleiben, ich muss hierbleiben.»

Noch während sie dies sagte, verlor sie beinahe das Bewusstsein. Der Arzt versuchte sie zu überreden, sich ihren Eltern anzuschließen. Sie wandte ein: «Und wenn er nun aufwacht, und ich bin nicht da?» Es entstand ein betretenes Schweigen. Niemand vermochte zu glauben, er würde aufwachen. Man wollte sie beruhigen, ein aussichtsloses Unterfangen. «Dann werden Sie sofort benachrichtigt, aber jetzt ist es wirklich besser, wenn Sie sich ein bisschen ausruhen.» Nathalie erwiderte nichts. Alle drängten sie zu schlafen, sich seiner Liegestellung anzuschließen. Sie fuhr also mit ihren Eltern nach Hause. Ihre Mutter machte ihr eine Fleischbrühe, die sie nicht hinunterbekam. Sie nahm noch einmal zwei Tabletten und fiel aufs Bett. Auf das Bett ihres alten Kinderzimmers. Noch am Morgen war sie eine Frau gewesen. Und nun schlief sie ein wie ein kleines Mädchen.

15

Bemerkungen, die François gemacht haben könnte, bevor er laufen ging

Ich liebe dich.

Ich bete dich an.

Erst der Sport, dann das Vergnügen.

Was essen wir heute Abend?

Viel Spaß beim Lesen, Schatz.

Ich freu mich schon, wenn ich wieder da bin.

Ich hab nicht vor, mich über den Haufen fahren zu lassen.

Wir müssen echt mal Bernard und Nicole zum Abendessen einladen.

Vielleicht sollte ich doch auch mal ein Buch lesen.

Heute werd ich in erster Linie meine Wadenmuskulatur trainieren.

Heute Abend machen wir ein Kind.

16

Ein paar Tage später war er tot. Die Beruhigungsmittel machten Nathalie benommen, sie befand sich in einem deliriumsartigen Zustand. Ununterbrochen musste sie an diesen letzten gemeinsamen Moment denken. Das war doch aberwitzig. Wie konnte ein solches Glück einfach so in Stücke brechen? Sich mit dem lächerlichen Bild eines Mannes, der durchs Wohnzimmer hopst, in nichts auflösen. Und diese letzten Worte, die er ihr zugeflüstert hatte. Nie würde sie sich ihrer entsinnen können. Vielleicht hatte er ihr einfach ins Genick gepustet. Als er die Tür hinter sich schloss, war er sicherlich schon ein Phantom. In menschlicher Gestalt zwar, aber ein Phantom, das nichts als Stille schafft, denn der Tod hat bereits Einzug gehalten.

Alle waren sie zur Beerdigung gekommen. In die Gegend, in der François seine Kindheit verbracht hatte. Ihr kam der Gedanke, dass er sich über dieses Gewühl gefreut hätte. Ach was, es war absurd, so etwas zu denken. Wie sollte sich ein Toter über irgendetwas freuen können? Er verwest gerade in einer Holzkiste: Wie soll er sich freuen? Als sie, von Angehörigen umringt, hinter dem Sarg herschritt, streifte Nathalie noch ein anderer Gedanke: Das sind die gleichen Gäste wie bei unserer Hochzeit. Ja, sie sind alle da. Genau die gleichen.

Man trifft sich ein paar Jahre später wieder, und der ein oder andere war bestimmt im gleichen Outfit erschienen. Sie zogen ihren einzigen dunklen Anzug hervor, der für Glück und Unglück gleichermaßen galt. Der einzige Unterschied: das Wetter. Diesmal schien die Sonne, es konnte einem fast warm werden. Ungeheuerlich, es war Februar. Die Sonne brannte gnadenlos herunter. Und Nathalie, die der Sonne ins Gesicht sah, ließ sich von ihr blenden, ein Hof aus kaltem Licht verschleierte ihren Blick.

Er sank in die Grube, und das war's.

Nach der Beisetzung war Nathalies einziges Verlangen, allein zu sein. Sie wollte nicht in die Wohnung ihrer Eltern zurück. Wollte keine mitleidsvollen Blicke mehr ernten. Sie wünschte, sie hätte sich verkriechen, sich von der Außenwelt abschotten, sich in ein Grab zurückziehen können. Freunde fuhren sie mit dem Auto nach Hause. Keiner brachte unterwegs ein Wort heraus. Es kam der Vorschlag, ein bisschen Musik anzumachen. Doch Nathalie bat den Fahrer sehr schnell, sie wieder abzustellen. Nicht auszuhalten. Bei jeder Melodie fiel ihr François ein. Bei jeder Note spürte sie den Widerhall einer Erinnerung, eines Details, eines Lachens. Es würde schrecklich werden, das wurde ihr nun bewusst. In den sieben Jahren, die sie gemeinsam verbracht hatten, hatte er genug Zeit gehabt, sich überall festzusetzen, bei jedem Atemzug eine Spur zu hinterlassen. Ihr wurde klar, dass es nichts gab, was sie seinen Tod vergessen machen würde.

Die Freunde halfen ihr, ihre Sachen nach oben zu bringen. Aber sie wollte sie nicht hereinbitten.

«Bitte geht jetzt, ich bin müde.»

«Aber du versprichst, dass du uns anrufst, wenn du irgendwas brauchst?»

«Ja.»

«Versprochen?»

«Ja, versprochen.»

Sie küsste ihre Freunde auf die Wange und dankte ihnen. Das Alleinsein war eine Erleichterung. Andere hätten in diesem Moment die Einsamkeit nicht ertragen. Nathalie hatte sich danach gesehnt. Und dennoch setzte sie so der Entsetzlichkeit der Situation die Krone auf. Sie ging ins Wohnzimmer, wo sie alles unverändert vorfand. Genau wie zuvor. Nichts hatte sich bewegt. Die Decke lag noch immer auf dem Sofa. Die Teekanne stand auf dem kleinen Tischchen davor, darauf lag das Buch, das sie gelesen hatte. Am meisten traf sie der Anblick des Lesezeichens, das das Buch gleichsam in zwei Teile spaltete. Den ersten Teil hatte sie gelesen, als François noch am Leben war. Und auf Seite 321 war er gestorben. Was sollte sie jetzt tun? Kann man eine Lektüre, die durch den Tod des Ehemannes unterbrochen wurde, fortsetzen?

17

Diejenigen, die behaupten, allein sein zu wollen, versteht niemand. Selbstgewählte Einsamkeit gilt naturgemäß als morbider Instinkt. Sosehr Nathalie sich auch bemühte, alle Leute abzuwiegeln, sie bestanden darauf, sie besuchen zu kommen. Was darauf hinauslief, dass ihr keine andere Wahl blieb, als sich mitzuteilen. Doch sie hatte keine Ahnung, was sie sagen sollte. Ihr kam es so vor, als müsste sie mit allem noch einmal bei null anfangen, dazu gehörte auch das Sprechenlernen. Vielleicht taten sie ja im Grunde alle gut daran, sie zu ein wenig Geselligkeit zu nötigen, dazu, sich zu waschen, anzuziehen und Besuche zu empfangen. Ihre Bekannten wechselten sich ab, das lag erschreckend klar auf der Hand. Sie stellte sich so etwas Ähnliches wie einen Krisenstab vor, der die Katastrophe verwaltete, dort arbeitete eine tatkräftige Sekretärin, bestimmt ihre Mutter, die alles in eine riesige Übersicht eintrug und geschickt die Besuche von Freunden und Familienmitgliedern variierte. Sie konnte hören, wie die Mitglieder dieses Hilfstrupps untereinander kommunizierten und ihre leisesten Regungen kommentierten. «Nun, wie ist ihr Zustand?», «Was treibt sie?», «Was isst sie?». Ihr schien, als sei sie plötzlich der Nabel der Welt, wo ihre Welt doch aufgehört hatte zu existieren.

Einer der häufigsten Besucher war Charles. Er schaute jeden zweiten oder dritten Tag vorbei. Eine Art, *ihre Verbindung zum Berufsleben aufrechtzuerhalten*, wie er es nannte. Er berichtete ihr von Entwicklungsprozessen laufender Geschäftsvorgänge, und sie starrte ihn an wie einen Geistesgestörten. Was ging es sie an, wenn der chinesische Außenhandel gerade in einer Krise steckte? Würden die Chinesen ihr ihren Mann zurückbringen? Nein. Na schön. Dann war das ja vollkommen uninteressant. Charles merkte durchaus, dass sie ihm nicht zuhörte, doch er wusste, dass er nach und nach eine Wirkung erzielen würde. Ähnlich wie bei einer Infusion flößte er der am Tropf hängenden Nathalie kleine Dosen der Wirklichkeit ein. Auf dass China, und auch Schweden, sich wieder in Nathalies Gesichtskreis einfügten. Er setzte sich ganz nah zu ihr:

«Du kannst wieder anfangen, wann immer du willst. Du sollst wissen, dass die ganze Firma hinter dir steht.»

«Vielen Dank, das ist sehr freundlich.»

«Und du weißt, dass du dich auf mich verlassen kannst.»

«Danke.»

«Dass du dich echt auf mich verlassen kannst.»

Sie konnte sich keinen Reim darauf machen, wieso er sie seit dem Tod ihres Mannes duzte. Was hatte das wohl zu bedeuten? Doch warum einen tieferen Sinn hinter diesem Wandel suchen? Ihr fehlte die Kraft dazu. Vielleicht spürte er, dass er irgendwie Verantwortung trug; Verantwortung dafür zu beweisen, dass es einen ganzen Lebensbereich von ihr gab, der nicht wankte. Aber trotzdem war diese Duzerei eigenartig. Andererseits auch wieder nicht, es gibt Worte, die, wenn man sich siezt, unaussprechlich sind. Worte des Trosts. Die Distanz muss aufgehoben werden, damit man solche Dinge sagen kann, man muss miteinander vertraut sein. Ihrer Ansicht nach schaute er ein bisschen zu oft vorbei. Sie versuchte, ihm das zu verstehen zu geben. Doch man hört nicht auf Menschen, die weinen. Er war jederzeit zur Stelle; und er wurde aufdringlich. Bei einer abendlichen Unterhaltung hatte er einmal seine Hand auf ihr Knie gelegt. Sie hatte ihn zunächst gewähren lassen, dachte sich aber, dass er es erheblich an Einfühlsamkeit fehlen ließ. Wollte er sich ihren Kummer zunutze machen, um François' Platz einzunehmen? Wollte er anstelle des Toten mit ihr auf Reisen gehen? Womöglich hatte er ihr schlicht begreiflich machen wollen, dass er da war, falls sie Zuneigung brauchte. Falls sie mit ihm schlafen wollte. Wenn man mit dem Tod in Berührung kommt, geschieht es öfter, dass es einen in sexuelle Sphären treibt. In dem Fall jedoch nicht wirklich. Ein anderer Mann kam für sie nicht infrage. Also hatte sie Charles' Hand zurückgeschoben, der gemerkt hatte, dass er wohl zu weit gegangen war.

«Ich werde bald wieder anfangen zu arbeiten», meinte sie. Was dieses bald heißen sollte, da war sie sich nicht so sicher.

18

Warum Roman Polanski den Roman Tess von den d'Urbervilles: Eine reine Frau *von Thomas Hardy verfilmt hat*

Es ist nicht wirklich so, dass Polanski beim Lesen des Romans der Tod in die Quere gekommen wäre. Doch bevor Sharon Tate, Polanskis Frau, von der Manson Family auf brutale Weise niedergemetzelt wurde, hatte sie ihren Mann auf dieses Buch aufmerksam gemacht und zu ihm gesagt, es würde sich hervorragend für eine Verfilmung eignen. Der etwa zehn Jahre nach dem Mord entstandene Film, in dem Nastassja Kinski die Hauptrolle spielt, ist Sharon Tate gewidmet.

19

Nathalie und François hatten nicht sofort Kinder gewollt. Kinder waren ein Projekt für die Zukunft. Für eine Zukunft, die sie nun nicht mehr haben würden. Ihr gemeinsames Kind würde also eine reine Vorstellung bleiben. Wenn man gelegentlich an all die toten Künstler denkt, fragt man sich da nicht auch, welche Werke sie geschaffen hätten, wenn sie nicht gestorben wären? Was hätte John Lennon 1992 komponiert, wenn er nicht 1980 gestorben wäre? Genauso: Wie hätte das Leben dieses Kindes ausgesehen, das es nie geben würde? Man müsste sich all die Schicksale vor Augen führen, die scheitern, bevor sie an den Strand der Existenz gespült werden.

Über Wochen hatte sie dieser ans Verrückte grenzende Gedanke getragen: den Tod zu leugnen. Sich den Alltag weiterhin so zurechtzulegen, als sei François noch da. Wenn sie morgens spazieren ging, war sie imstande, auf dem Wohnzimmertisch eine Nachricht für ihn zu hinterlassen. Sie ging stundenlang spazieren, mit dem alleinigen Ziel, sich in der Menge aufzulösen. Ab und zu ging sie auch in Kirchen, sie, die keinen Glauben hatte. Und die sich sicher war, dass sie nie einen Glauben haben würde. Dass es Leute gab, die sich in die Religion flüchteten, die nach einem einschneidenden Unglück einen Glauben haben konnten, war für sie nicht nachvollziehbar. Dennoch, wenn sie sich mitten am Nachmittag zwischen all den leeren Stühlen niederließ, empfand sie es als tröstlich, an diesem Ort sein zu dürfen. Er verschaffte ihr ein klein wenig Linderung, und tatsächlich, einen Augenblick lang glaubte sie, die Wärme Christi zu spüren. Sie fiel auf die Knie und glich einer Heiligen, die den Teufel im Herzen trägt.

Mitunter kehrte sie an den Ort ihrer ersten Begegnung zurück. Zu diesem Trottoir, das sie sieben Jahre zuvor, als sie ihn noch nicht gekannt hatte, entlanggelaufen war. Sie dachte:

«Und wenn mich jetzt jemand ansprechen würde, wie würde ich reagieren?» Doch niemand störte sie in ihrer Andacht.

Sie ging auch zu der Stelle, an der François überfahren worden war. Wo er sich, als er mit seinen Shorts und den Kopfhörern über die Straße laufen wollte, so ungeschickt angestellt hatte. Das allerletzte Mal, dass er sich ungeschickt angestellt hatte. Sie baute sich am Fahrbahnrand auf und beobachtete die vorbeifahrenden Autos. Warum beging sie nicht an der gleichen Stelle Selbstmord? Warum vermengte sie nicht ihrer beider Blut in einer letzten morbiden Art von Vereinigung? Lange stand sie da, zögerte, während die Tränen ihr das Gesicht herunterliefen. Vor allen Dingen in der ersten Zeit nach der Beerdigung kehrte sie oft an den Unglücksort zurück. Woher der Drang kam, sich selbst derart wehzutun, wusste sie nicht. Es war hirnrissig, da herumzustehen, sich die Grausamkeit des Aufpralls vorzustellen und so den Tod des geliebten Mannes greifbar machen zu wollen. Vielleicht hatte sie im Grunde keine andere Wahl? Woher weiß man, wie man nach einer solchen Tragödie weiterlebt? Es gibt keine Patentrezepte. Ein jeder versucht, die Signale zu entziffern, die ihm sein Körper sendet. Nathalie stillte ihr Bedürfnis, weinend am Straßenrand zu stehen und in ihren Tränen unterzugehen.

20

Diskografie von John Lennon, wäre er nicht 1980 ermordet worden

Still Yoko (1982)

Yesterday and Tomorrow (1987)

Berlin (1990)

Titanic Soundtrack (1994)

Revival – The Beatles (1999)

21

Das Leben der Charlotte Baron seit dem Tag, an dem sie François überfahren hat

Hätte es die Anschläge vom 11. September 2001 nicht gegeben, wäre Charlotte sicherlich nicht Blumenverkäuferin geworden. Am 11. September hatte sie Geburtstag. Ihr Vater, der sich gerade auf einer Reise durch China befand, hatte ihr Blumen bringen lassen. Im Unwissen, dass soeben die eigene Epoche zusammenstürzte, stieg Jean-Michel die Treppenstufen hoch. Er läutete und erblickte Charlotte, deren Gesicht kreidebleich war. Sie brachte erst keinen Ton heraus. Als sie ihm die Blumen abnahm, fragte sie:

«Haben Sie schon davon gehört?»

«Wovon?»

«Kommen Sie ...»

Zusammen verbrachten Jean-Michel und Charlotte den Tag auf dem Kanapee und schauten sich immer und immer wieder die Bilder der Flugzeuge an, die in die Türme einschlugen. Diesen historischen Moment gemeinsam zu erleben, schweißte die beiden zwangsläufig zusammen. Sie waren unzertrennlich geworden, hatten gar ein mehrere Monate andauerndes Verhältnis miteinander, bevor sie zu dem Schluss kamen, dass sie eher als Freunde denn als Liebende füreinander geschaffen waren.

Kurze Zeit darauf eröffnete Jean-Michel seinen eigenen Blumenlieferservice und bot Charlotte an, bei ihm anzufangen. Von da an bestand ihr Leben darin, Sträuße zu binden. An jenem Sonntag, an dem das Unglück geschah, hatte Jean-Michel schon alles vorbereitet. Ein Kunde wollte um die Hand seiner Verlobten anhalten. Mit dem Erhalt der Blumen würde sie den Antrag verstehen, es handelte sich um so etwas wie ein verschlüsseltes Zeichen. Der Strauß musste unbedingt an diesem Sonntag, dem Jahrestag ihrer ersten Begegnung, zugestellt werden. Gerade als Jean-Michel hatte losfahren wollen, kam ein Anruf von seiner Mutter: Sein Großvater war ins Krankenhaus eingeliefert worden. Charlotte erklärte sich bereit, sich um den Strauß zu kümmern. Sie fuhr ganz gern mit dem Lieferwagen herum. Besonders wenn sie nur eine einzige Bestellung auszufahren hatte, wenn sie sich nicht beeilen musste. Ihre Gedanken waren bei dem Liebespaar und bei der Funktion, die sie in dessen Leben einnahm: Sie spielte die Rolle eines anonymen, aber ausschlaggebenden Faktors. An all dies dachte sie und an andere Dinge, und plötzlich rannte da ein Mann einfach über die Straße. Als sie bremste, war es zu spät.

Nach dem Unfall war Charlotte völlig am Boden zerstört. Ein Psychologe mühte sich, sie so weit zu bringen, über die Sache zu sprechen, damit sie den Schock so schnell wie möglich überwand und das Trauma nicht ins Unterbewusstsein durchsickerte. Sie stellte sich ziemlich bald die Frage: Soll ich mit der Witwe in Kontakt treten? Letztlich kam sie zu dem Schluss, dass das sinnlos wäre. Was hätte es schon zu sagen gegeben? «Ich möchte mich entschuldigen.» Entschuldigt man sich in einem solchen Fall? Allenfalls hätte sie angefügt: «Ganz schön beschissen von Ihrem Mann, blind über die Straße zu rennen, das ruiniert auch mein Leben, sind Sie sich dessen überhaupt bewusst? Glauben Sie, das Leben ist einfach für jemanden, der einen Menschen überfahren hat?» Zuweilen hatte sie regelrechte Schübe, empfand einen Hass auf diesen Mann, auf die eigenen widersprüchlichen Gefühle. Doch die meiste Zeit schwieg sie. Saß leer da. Die Stille dieser Stunden einte sie und Nathalie. Mit gänzlich betäubtem

Willen trieben sie beide dahin. In den Wochen, in denen Charlotte sich langsam auf dem Wege der Besserung befand, musste sie ständig unwillkürlich an die Blumen denken, die sie an jenem verhängnisvollen Tag hätte ausliefern sollen. Dieser verwaiste Strauß verkörperte das Bild der verunglückten Zeit. Unaufhörlich schob sich das Ereignis in Zeitlupe ins Blickfeld, wieder und wieder das Geräusch des Aufpralls, und im Mittelpunkt standen immerzu die Blumen, die ihr einen Schleier über die Augen legten. Zwanghaft kehrten ihre Gedanken zu den Blumen zurück, die sich auf ihren Tagen wie ein Leichentuch ausbreiteten.

Jean-Michel war in großer Sorge um ihren Zustand. Er herrschte sie an, sie solle wieder arbeiten gehen. Das war nur einer von zahllosen Versuchen, sie wachzurütteln. Ein von Erfolg gekrönter Versuch, denn sie hob den Kopf und nickte, wie es kleine Mädchen manchmal tun, wenn sie nach einer begangenen Dummheit versprechen, wieder brav zu sein. Im Grunde wusste sie ja, dass ihr nichts anderes übrig blieb. Dass es weitergehen musste. Unabhängig vom plötzlichen Ausbruch ihres Kompagnons. Alles wird werden wie früher, dachte sich Charlotte, von einem Schock erholt man sich auch wieder. Von wegen, nichts wurde wie früher. Der Rhythmus ihrer Tage war irgendwie jäh gesprengt worden. Dieser Sonntag war allgegenwärtig: Er lauerte in jedem Montag und in jedem Donnerstag. Und er überdauerte den Freitag oder den Dienstag. Dieser Sonntag schien nie enden zu wollen, er gebärdete sich wie eine verfluchte Ewigkeit und hatte auch die Zukunft fest im Griff. Charlotte lächelte, Charlotte aß, doch auf Charlottes Gesicht lag ein dunkler Schatten. Er verdeckte ein oder zwei Buchstaben ihres Vornamens. Ein Gedanke schien sie nicht loszulassen. Plötzlich fragte sie:

«Die Blumen, die ich damals hätte ausfahren sollen... hast du sie am Ende hingebracht?»

«Ich hatte andere Sachen im Kopf. Ich bin sofort zu dir.»

«Aber hat der Mann denn nicht angerufen?»

«Doch, natürlich. Ich hab am nächsten Tag mit ihm telefoniert. Er war ziemlich verärgert. Seine Verlobte hatte den Blumenstrauß ja nicht gekriegt.»

«Und weiter?»

«Und weiter ... ich hab ihm erklärt, warum sie die Blumen nicht bekommen hat ... gesagt, dass du einen Unfall gebaut hast ... und dass der Mann im Koma liegt ...»

«Und was hat er darauf gesagt?»

«Ich weiß nicht mehr genau ... er hat sich entschuldigt ... und dann hat er noch irgendwas gemurmelt ... wenn ich richtig verstanden habe, sah er darin ein Zeichen. Ein ganz schlechtes Zeichen.»

«Willst du damit sagen ... meinst du, er hat das Mädchen dann nicht gefragt, ob sie ihn heiraten will?»

«Keine Ahnung.»

Diese Geschichte brachte Charlotte ganz durcheinander. Sie erlaubte sich, den betreffenden Mann anzurufen. Er bestätigte, dass er sich entschieden hatte, seinen Heiratsantrag zu verschieben. Die Nachricht erschütterte sie zutiefst. Das konnte sie so nicht stehen lassen. Sie ließ den Lauf der Ereignisse Revue passieren. Die Hochzeit sollte verschoben werden. Und möglicherweise wurde auf diese Art eine Vielzahl von Ereignissen verschoben? Es widerstrebte ihr, dass all diese Leben in andere Bahnen gelenkt werden sollten. Sie dachte: Wenn ich es wiedergutmache, ist es doch so, als wäre es gar nicht geschehen. Wenn ich es gutmache, kann ich wieder ein normales Leben führen.

Im Nebenzimmer des Ladens band sie einen absolut identischen Strauß. Anschließend stieg sie in ein Taxi. Der Chauffeur erkundigte sich:

«Fahren Sie zu einer Hochzeit?»

«Nein.»

«Zu einem Geburtstag?»

«Nein.»

«Zu … einer Abschlussfeier?»

«Nein. Ich will bloß nachholen, was ich an dem Tag, an dem ich jemanden überfahren habe, hätte tun sollen.»

Schweigend setzte der Chauffeur seine Route fort. Charlotte stieg aus dem Wagen. Legte den Strauß auf den Fußabstreifer vor der Wohnung der Frau. Bei dem Anblick hielt sie einen Augenblick inne. Dann nahm sie ein paar Rosen aus dem Strauß heraus. Mit denen machte sie sich davon und bestieg erneut ein Taxi. Seit dem Unglückstag trug sie François' Adresse mit sich herum. Sie hatte es vorgezogen, Nathalie nicht kennenzulernen, was sicherlich die richtige Entscheidung gewesen war. Hätte die angerichtete Zerrüttung ein Gesicht bekommen, wäre es wohl noch schwieriger geworden, sich sein Leben wiederaufzubauen. Doch in dem Moment folgte sie einem Instinkt. Sie wollte nicht lange nachdenken. Das Taxi rollte, nun hielt es an. Zum zweiten Mal innerhalb von wenigen Minuten fand sich Charlotte auf dem Treppenabsatz vor der Wohnung einer Frau wieder. Sie legte eine Handvoll weißer Blumen vor Nathalies Tür nieder.

22

Nathalie öffnete die Tür und horchte in sich hinein: War das der richtige Zeitpunkt? Seit drei Monaten war François tot. Drei Monate, das war gar nicht so lange her. Ihr Zustand hatte sich kein Stück gebessert. Sie spürte, dass in ihr der Tod unerbittlich Wache schob. Freunde hatten ihr geraten, wieder anzufangen zu arbeiten, sich nicht gehen zu lassen, sich zu beschäftigen, damit ihr die Zeit nicht unerträglich lang wurde. Sie wusste nur zu gut, dass die Arbeit nichts ändern würde, dass sie vielleicht sogar alles schlimmer machen würde. Vor allem am Abend, wenn sie nach Hause kommen würde und er nicht da wäre, niemals wieder da wäre. *Sich nicht gehen lassen*, was für ein komischer Ausdruck. Was immer auch geschieht, man lässt sich gehen. Leben bedeutet: sich gehen lassen. Alles, was sie wollte, war: sich gehen lassen. Nicht mehr die Last jeder Sekunde spüren müssen. Sie sehnte ihre Leichtigkeit zurück, eine unerträgliche hätte schon gereicht.

Sie hatte nicht vorher anrufen wollen, sondern tauchte lieber einfach so auf, unerwartet, auch um weniger Aufsehen zu erregen. In der Eingangshalle, im Fahrstuhl, auf den Gängen waren ihr zahlreiche Kollegen über den Weg gelaufen, und alle hatten sich mit den ihnen zur Verfügung stehenden Mitteln bemüht, ihr gegenüber ein wenig menschliche Wärme auszustrahlen. Mit Worten, Gesten, einem Lächeln oder manchmal auch mit einem Schweigen. Die Verhaltensformen waren so unterschiedlich wie die Menschen, auf die sie traf, doch die einmütige und dezente Weise, ihr beizustehen, hatte sie tief berührt. Paradoxerweise machte sie genau dieser Beistand nun unschlüssig. Wollte sie das? Sich in einem Umfeld bewegen, in dem alles nur aus Beileid und Anteilnahme bestand? Wenn sie zurückkäme, müsste sie die Komödie ihres Lebens spielen, so tun, als ginge es ihr prima. Denn in den Blicken der anderen eine Güte zu erkennen, die in Wirklichkeit eine Form von Mitleid war, das würde sie nicht aushalten.

Steif stand sie vor der Tür zum Büro ihres Chefs und zögerte. Sie spürte, dass sie, wenn sie eintrat, tatsächlich wieder zu arbeiten beginnen würde. Endlich rang sie sich durch und ging, ohne anzuklopfen, hinein. Charles war vertieft in sein großes Lexikon, den *Larousse*. Das war so eine Schrulle von ihm: Allmorgendlich führte er sich eine Worterklärung zu Gemüte.

«Na? Störe ich dich?», fragte Nathalie.

Er sah überrascht auf. Sie glich einer Heiligenerscheinung. Seine Kehle schnürte sich zu, er fürchtete, sich nicht mehr rühren zu können, vor Überwältigung zu erstarren. Sie kam näher.

«Hattest du dir gerade deine Worterklärung vorgeknöpft?»

«Ja.»

«Was ist denn heute dran?»

«Das Wort *Empfindsamkeit*. Kein Wunder, dass du genau in dem Augenblick erschienen bist.»

«Das ist ein schönes Wort.»

«Ich freu mich, dich hier zu sehen. Endlich. Ich hatte gehofft, du würdest kommen.»

Dann entstand ein Schweigen. Komisch, aber es ergab sich immer ein solcher Moment, in dem sie nicht wussten, was sie einander sagen sollten. Und in solchen Fällen bot Charles stets an, ihr eine Tasse Tee zu machen. Das war wie Benzin für den Redefluss. Schließlich fuhr er sehr aufgeregt fort:

«Die schwedischen Aktionäre waren da. Weißt du eigentlich, dass ich mittlerweile ein bisschen Schwedisch kann?»

«Nein.»

«Doch ... Sie wollten, dass ich Schwedisch lerne ... So ein Pech für mich. Das ist nämlich echt eine Scheißsprache.»

«...»

«Aber okay, das bin ich ihnen wohl schuldig. Sie sind ziemlich flexibel, das muss man schon sagen ... Na ja ... Also ich erzähle dir das ... weil ich mit ihnen über dich gesprochen hab ... und sie sind einverstanden, dass wir alles so einrichten, wie es dir entgegenkommt. Du kannst dir deine Zeit frei einteilen, wenn du wieder anfangen magst, ganz wie du willst.»

«Das ist nett von dir.»

«Das ist nicht einfach bloß nett von mir. Wir vermissen dich hier, wirklich.»

«...»

«Ich vermisse dich.»

Während er das sagte, durchbohrte er sie mit einem forschenden Blick. Mit dieser Art von allzu eindringlichem Blick, die leicht lästig wird. Bei diesem Blick dehnt sich die Zeit ins Unendliche: Eine Sekunde wird zu einer langen Rede. Im Grunde genommen ließen sich zwei Punkte nicht von der Hand weisen: Erstens hatte er sich von Anbeginn zu ihr hingezogen gefühlt. Zweitens hatte sich dieses Gefühl seit dem Tod ihres Mannes verstärkt. Es fiel ihm schwer, sich diese Zuneigung einzugestehen. War das ein morbider Zug? Nein, nicht unbedingt. Ihr Gesicht. Es schien durch die Katastrophe noch erhabener. Die Trauer mehrte Nathalies erotisches Potenzial beträchtlich.

23

Definition des Begriffs der Empfindsamkeit laut Larousse

> Empfindsamkeit, die: feines, zartes Empfinden, Feinfühligkeit

Definition von Empfindlichkeit, die Empfindsamkeit reicht nämlich nicht aus, um die Empfindsamkeit zu begreifen

Empfindlichkeit, die
1. Eigenschaft, empfindlich auf bestimmte Reize zu reagieren
2. Verletzbarkeit, Reizbarkeit:
man muss ihre E. in solchen Dingen berücksichtigen.

24

Nathalie saß an ihrem Schreibtisch. Gleich am Morgen ihrer Wiederkehr war sie mit etwas Schrecklichem konfrontiert worden: dem Abreißkalender. Aus Rücksicht hatte es niemand gewagt, ihre Sachen anzurühren. Und niemand hatte daran gedacht, wie grausam es für sie sein würde, auf ihrem Schreibtisch einen Kalender vorzufinden, auf dem die Zeit seit ihrem letzten Arbeitstag vor der Katastrophe stillstand. Auf dem es zwei Tage vor der Katastrophe war. Auf diesem Kalenderblatt war François noch am Leben. Sie nahm das Ding in die Hand und begann, die Seiten umzudrehen. Die Tage zogen vor ihren Augen vorüber. Seitdem François tot war, war ihr jeder Tag so vorgekommen, als sei er mit einem ungeheuren Gewicht beladen. Dahingegen konnte sie hier, indem sie die Blätter durch die Finger gleiten ließ, in wenigen Augenblicken den tatsächlich zurückgelegten Weg ermessen. All diese Kalenderblätter, und sie war immer noch da. Und jetzt war sie beim heutigen Tag angelangt.

Und bald kam der Zeitpunkt, an dem es einen neuen Abreißkalender gab.

Dass Nathalie wieder zu arbeiten begonnen hatte, lag einige Monate zurück. Das Maß, in dem sie sich verausgabt hatte, hielten manche für übertrieben. Die Zeit schien wieder ihren gewohnten Lauf zu nehmen. Alles fing von vorne an: die routinemäßigen Besprechungen und die absurde Angewohnheit, die Akten durchzunummerieren wie eine Abfolge von Einheiten ohne irgendwelche Bedeutung. Und der Gipfel der Absurdität: Die Akten werden uns überdauern. Genau dieser Gedanke ging ihr beim Archivieren der Unterlagen durch den Kopf. Dass all der Papierkram uns in vielerlei Hinsicht überlegen war, er erlag keinen Krankheiten, alterte nicht und wurde in keine Unfälle verwickelt. Eine Akte, die beim Sonntagslauf überfahren wurde, gab es nicht.

25

Weitere Definitionen von «empfindsam» und «empfindlich», im Larousse *steht nämlich noch viel mehr*

empfindsam <Adj.>:

1. zart, behutsam, einfühlsam, taktvoll: *ein e. Mensch*
2. sensibel, zartbesaitet: *in dieser Angelegenheit ist sie sehr e.*

empfindlich <Adj.> [mhd. enphintlich, ahd. inphintlich]:

1. anfällig, schwächlich:
   sie ist e. gegen Hitze; das Kind ist sehr e.
2. spürbar, einschneidend, schmerzlich:
   -e Verluste; seine Bemerkung hat sie e. getroffen
3. gekränkt; leicht beleidigt, reizbar:
   e. reagieren

26

Seitdem Nathalie wieder da war, hatte Charles gute Laune. Es kam sogar vor, dass er an seinen Schwedisch-Lektionen Spaß hatte. Zwischen ihnen war etwas entstanden, so etwas wie Vertrauen und gegenseitiger Respekt. Nathalie schätzte sich glücklich, den Weisungen eines Mannes zu unterstehen, der ihr so wohlgesinnt war. Doch sie durchschaute seine Absichten, merkte schon, dass er an ihr Gefallen fand. Sie ließ seine mehr oder minder diskreten Andeutungen geschehen. Er hatte nie Gelegenheit, es allzu weit zu treiben, denn sie wahrte eine Distanz, die für ihn unüberwindlich war. Ging nicht ein auf seine Spielchen, aus dem einfachen Grund, weil sie gar nicht fähig war zu spielen. Es ging über ihre Kräfte. Ihre Reserven sparte sie sich für die Arbeit auf. Schon manches Mal hatte er versucht, sie zum Essen einzuladen, vergebliche Mühen, die sie mit einem Schweigen abgewimmelt hatte. Sie fühlte sich schlichtweg nicht in der Lage auszugehen. Am allerwenigsten mit einem Mann. Ihr kam das selbst lächerlich vor, denn wenn sie es schon über sich brachte, den Tag durchzustehen und sich mit Akten ohne Belang zu befassen, warum gönnte sie sich nicht auch Erholungspausen? Sicherlich hing das mit ihrer Vorstellung von Vergnügung zusammen. Sie hatte das Gefühl, kein Recht auf eine wie auch immer geartete Leichtigkeit zu haben. Das war eben so. Sie besaß kein Recht. Und sie zweifelte sogar, ob sie es je wieder besitzen würde.

An diesem Abend galt eine Ausnahme. Sie hatte sich endlich erweichen lassen, und Charles führte sie zum Abendessen aus. Er hatte einen nicht auszustechenden Trumpf gezogen: Ihre Beförderung musste gefeiert werden. Genau, ihr war nämlich eine hübsche Gehaltsaufbesserung zuteilgeworden, und sie sollte von nun an ein sechsköpfiges Team leiten. Obwohl ihre Kompetenzen diese Maßnahmen vollauf rechtfertigten, fragte sie sich doch, ob ihr beruflicher Aufstieg vielleicht aufgrund des Mitleids, das sie erregte, zustande gekommen war. Sie hatte diese Beförderung zunächst ablehnen wollen, aber dann wurde es ihr zu kompliziert, so ein Angebot auszuschlagen. Als sie in der Folge bemerkte, mit welchem Eifer Charles dieses Abendessen arrangierte, überlegte sie, ob er ihre Karriere nur vorangetrieben hatte, um dieses Essen mit ihr zu erreichen. Es war ja alles möglich, doch es lohnte sich nicht, alles ergründen zu wollen. Sie dachte sich bloß, dass er recht hatte, dass es sicherlich ein guter Anlass war, sich einen kleinen Ruck zu geben und auszugehen. Vielleicht würde sie gar ihre nächtliche Unbeschwertheit wiedererlangen.

27

Für Charles war dieses Essen etwas ganz Besonderes. Ihm war klar, es würde die Weichen stellen. Die Besorgnis, die ihn bei seinen Vorbereitungen auf das Ereignis erfüllt hatte, war die gleiche wie bei seinem ersten jugendlichen Rendezvous. Letztlich hatte er da gar nicht so außergewöhnliche Gefühle gehabt. Beim Gedanken an das Essen mit Nathalie konnte er sich geradezu in die Vorstellung hineinsteigern, dass er zum ersten Mal mit einer Frau essen ging. Es war, als habe Nathalie die seltsame Gabe, all seine Erinnerungen an sein bisheriges Sinnesleben zu tilgen.

Charles hatte darauf geachtet, kein Restaurant mit Kerzenschein zu wählen, er wollte sie mit seiner romantischen Ader, die sie vielleicht als deplatziert empfunden hätte, nicht vor den Kopf stoßen. Die ersten Minuten liefen perfekt. Sie tranken, tauschten kurze Sätze aus, und die kurzen Gesprächspausen, die sich mitunter einschlichen, brachten niemanden in Verlegenheit. Sie genoss es, dazusitzen und zu trinken. Dachte sich, sie hätte schon früher wieder ausgehen sollen, dass das Vergnügen schon kam, wenn man es sich nur bereitete und: Sie verspürte sogar Lust, sich zu betrinken. Und dennoch hinderte sie etwas daran, sich wirklich aufzuschwingen. Die Fähigkeit, aus sich selbst herauszutreten, war ihr nicht gegeben. Da konnte sie trinken, soviel sie wollte, das änderte nichts. Sie saß einfach da, bewahrte ihren kühlen Kopf und schaute sich selbst zu wie einer Theaterschauspielerin, die auf einer Bühne ein Stück spielte. Das eine Auge ihres zweigeteilten Ichs beobachtete verblüfft die Frau, die sie nicht mehr war, die sich des Lebens erfreuen und sich betören lassen durfte. Sie war mit keiner Faser imstande, am Sein teilzunehmen, das wurde ihr in diesem Moment besonders klar. Aber davon bekam Charles nichts mit. Er schwamm an der Oberfläche der Dinge, versuchte, sie zum Trinken zu animieren, damit sie ihm ein bisschen Zutritt zu ihrem Leben gewährte. Er stand unter ihrem Bann. Seit ein paar Monaten wirkte sie so russisch auf ihn. Er wusste nicht recht, was das zu bedeuten hatte, aber so war's nun mal: In seiner Phantasie verfügte sie über russische Kräfte, neigte zu russischer Schwermut. Ihre weiblichen Züge hatten also eine Reise von der Schweiz nach Russland angetreten.

«Also … wie kam es zu dieser Beförderung?», fragte sie.

«Weil du eine hervorragende Arbeit leistest … und weil ich dich großartig finde, das ist alles.»

«Das ist alles?»

«Warum fragst du? Hast du das Gefühl, dass das nicht alles ist?»

«Ich? Ich habe überhaupt kein Gefühl.»

«Und wenn ich meine Hand hierhin lege, fühlst du dann auch nichts?»

Unfassbar, was in ihn gefahren war. Er dachte sich, an diesem Abend sei alles möglich. Wie konnte er der Wirklichkeit so entrückt sein? Als er seine Hand auf die ihre gelegt hatte, war ihm sofort der Augenblick wieder eingefallen, in dem er ihr die Hand aufs Knie gelegt hatte. Der gleiche Blick. Und er hatte nicht anders gekonnt, als die Hand zurückzuziehen. Er hatte genug davon, gegen eine Wand anzurennen, ständig mit unausgesprochenen Dingen leben zu müssen. Er wollte klare Verhältnisse schaffen.

«Ich gefalle dir nicht, stimmt's?»

«Aber … warum fragst du das?»

«Und du, warum stellst du immer Fragen? Warum gibst du nie Antworten?»

«Weil ich nicht so recht weiß …»

«Meinst du nicht, dass du nach vorne schauen solltest? Ich verlange ja nicht von dir, dass du François aus deinem Gedächtnis streichst … aber du kannst dich doch nicht den Rest deines Lebens von der Außenwelt abkapseln … weißt du, ich bin für dich da …»

«… Aber du bist doch verheiratet …»

Charles war überrascht, dass sie seine Frau ins Spiel brachte. Es mag abwegig erscheinen, aber seine Frau hatte er ganz vergessen. Er fühlte sich nicht wie ein verheirateter Mann, der mit einer anderen Frau Essen geht. Er fühlte sich wie ein Mann, der im Augenblick lebt. Richtig, er war verheiratet. Er planschte *im seichten Wasser des Ehehafens*, wie er es ausdrückte. Die Beziehung zu seiner Frau war am Ende. Insofern war er überrascht, denn seine Liebe zu Nathalie war vollkommen ehrlich.

«Aber warum redest du von meiner Frau? Sie ist eine Katastrophe! Ich bin ihr entgangen.»

«Diesen Eindruck hat man gar nicht.»

«Weil sie alles daransetzt, den Schein zu wahren. Das ist bloß eine Pose, wenn sie im Büro vorbeischaut. Aber wenn du wüsstest, wie unnatürlich unser Verhältnis ist, wenn du wüsstest ...»

«Dann verlass sie doch.»

«Für dich würde ich sie sofort verlassen.»

«Nicht für mich ... für dich.»

Es entstand eine Pause, die sich über mehrere Atemzüge, etliche Schlucke hinzog. Nathalie war entsetzt, dass er auf François zu sprechen gekommen war, dass er versucht hatte, den Abend zügig und mit wenig Finesse in eine ordinäre Richtung zu lenken. Sie erklärte schließlich, sie wolle nach Hause. Charles spürte freilich, dass er übers Ziel hinausgeschossen war, dass er ihr mit seinen Offenbarungen den Abend verdorben hatte. Wie hatte er es geschafft, nicht zu merken, dass das nicht der richtige Zeitpunkt war? Sie war noch nicht so weit. Man musste langsam vorgehen, schrittweise. Und er hatte losgelegt wie ein Irrer, in einem Höllentempo, und hatte in zwei Minuten viele Jahre der Sehnsucht aufholen wollen. Alles nur, weil der Abend so schön, so vielversprechend angefangen hatte. Dieser Einstieg hatte ihm die Zuversicht des forschen Mannes eingeflößt.

Er nahm sich zusammen: Es war schließlich sein gutes Recht zu sagen, was ihm am Herzen lag. Seine Gefühle zu zeigen, war doch kein Verbrechen. Nun ja, schon richtig, dass mit ihr alles kompliziert war, ihr Witwendasein machte alles noch viel schwerer. Er dachte, dass er größere Chancen gehabt hätte, sie zu verführen, wenn François noch am Leben gewesen wäre. Durch seinen Tod war ihre Liebe auf dem damaligen Stand geblieben. François hatte sie in eine unveränderliche Ewigkeit gemeißelt. Wie entfachte man unter solchen Umständen bei einer Frau auch nur den Hauch von Interesse? Bei einer Frau, deren Welt zum Stillstand gekommen war. Man konnte wirklich an den Punkt kommen, sich zu fragen, ob er sich nicht absichtlich umgebracht hatte, um ihre Liebe für die Ewigkeit zu bewahren. Manche Leute meinen ja, eine Leidenschaft müsse ein tragisches Ende haben.

28

Sie verließen das Restaurant. Die Situation wurde immer beklemmender. Charles rang vergeblich um pfiffige und geistreiche Bemerkungen, um den Humor, an dem er sich ein wenig hätte aufrichten können. Mit dem er zur leichten Entspannung der Atmosphäre hätte beitragen können. Nichts zu machen, sie saßen in der Patsche. Über Monate hinweg hatte er sich als empfindsam und zuvorkommend erwiesen, als respektvoll und zuverlässig, und plötzlich waren all seine Bemühungen, einen anständigen Kerl abzugeben, zunichte, da er es nicht verstanden hatte, sich zu beherrschen. Sein Körper fühlte sich an wie eine zerstückelte Groteske, in jedem Gliedmaß schlug ein Herz für sich. Er versuchte, Nathalies Wange zu küssen, was als ungezwungene und freundschaftliche Geste gedacht war, doch sein steifer Hals bereitete Probleme. Er schmorte in diesem Moment noch eine Weile fort, eitle Sekunden plätschern nur langsam dahin.

Da schenkte ihm Nathalie plötzlich ein breites Lächeln. Sie wollte ihm bedeuten, dass das alles nicht so schlimm war. Dass es wohl besser sei, diesen Abend schnell zu vergessen, Schwamm drüber. In einem weichen Tonfall meinte sie, sie habe Lust, ein wenig zu laufen, und damit machte sie sich auf. Charles beobachtete sie weiter, sah ihrem Rücken hinterher. Reglos stand er da, erstarrt in seiner Niederlage. Da schwand sie dahin, in seinem Blickfeld wurde sie immer kleiner, dabei war doch er derjenige, der immer kleiner wurde, der schrumpfte, obwohl er sich nicht vom Fleck rührte.

Dann hielt Nathalie inne.

Und machte kehrt.

Sie kam erneut auf ihn zu. Die Frau, die sich eben noch angeschickt hatte, sich aus seinem Gesichtskreis zu entfernen, wurde, indem sie sich auf ihn zu bewegte, immer größer. Was wollte sie? Er durfte jetzt nicht hektisch werden. Bestimmt hatte sie ihre Schlüssel, einen Schal oder einen der vielen Gegenstände liegen gelassen, die Frauen gern liegen lassen. Oh nein, sie wollte etwas anderes. Das merkte man an ihrem Gang. Man spürte, dass sie es nicht auf einen materiellen Gegenstand abgesehen hatte. Dass sie zurückkam, um mit ihm zu reden, um ihm etwas zu sagen. Ihr Gang hatte etwas

Luftiges, sie ging wie die Heldin aus einem italienischen Film von 1967. Er wollte auch gehen, auf sie zu. In einer romantischen Abschweifung träumte er davon, wie es nun zu regnen begann. Die Gesprächspausen gegen Ende waren nichts als ein Missverständnis gewesen. Sie kam zurück, nicht um mit ihm zu reden, sondern um ihn zu küssen. Das war in der Tat erstaunlich: In dem Augenblick, in dem sie sich losgemacht hatte, hatte er die Eingebung gehabt, er dürfe sich nicht bewegen, sie würde zurückkommen. Denn es lag auf der Hand, da war etwas zwischen ihnen, stark und zerbrechlich, und so war es von Anfang an gewesen. Man musste sie schon verstehen. Es war nicht leicht für sie, sich die Gefühle, die sie für ihn hegte, einzugestehen, wo doch erst ihr Mann gestorben war. Das war sogar brutal. Und dennoch, wie hätte sie ihm widerstehen können? Die Liebe kennt oft keine Moral.

Göttlich bebend stand sie nun vor ihm, ganz dicht, die wollüstige Fleischwerdung weiblicher Tragik. Hier war sie, seine große Liebe, Nathalie:

«Entschuldige, dass ich dir eben keine richtige Antwort gegeben habe … mir war das peinlich …»

«Ja, ich verstehe.»

«Es ist so schwer, das, was ich fühle, in Worte zu fassen.»

«Ich weiß, Nathalie.»

«Aber ich glaube, ich weiß die Antwort: Du gefällst mir tatsächlich nicht. Und ich glaube, es ist mir auch unangenehm, wie du versuchst, mich zu bezirzen. Zwischen uns wird nie etwas sein, da bin ich mir sicher. Vielleicht werde ich einfach nicht mehr imstande sein, jemanden zu lieben, aber sollte ich es eines Tages doch in Betracht ziehen, dann kommst du eigentlich nicht infrage.»

«...»

«Ich konnte so nicht in Frieden nach Hause gehen. Ich wollte, dass das gesagt ist.»

«Nun ist's gesagt. Du hast's gesagt. Genau, du sagst es. Ich hab's gehört, und das liegt wahrscheinlich daran, dass du's gesagt hast. Nun ist es raus, genau.»

Nathalie beobachtete Charles, der weiter vor sich hin stammelte. Wortfetzen, die nach und nach von einem Schweigen geschluckt wurden. Die dem Blick eines Sterbenden glichen. Nathalie deutete eine zärtliche Geste an: Legte ihre Hand auf seine Schulter. Und kehrte dahin zurück, woher sie gekommen war. Wurde wieder zu der Nathalie, die immer kleiner wurde. Charles versuchte, stehen zu bleiben, und es fiel ihm nicht leicht. Das haute ihn glatt um. Vor allem der Ton, in dem sie zu ihm gesprochen hatte. Ganz schlicht, ohne eine Spur von Bösartigkeit. Er musste den Tatsachen ins Auge blicken: Er gefiel ihr nicht, er würde ihr nie gefallen. Er verspürte keinerlei Zorn. Etwas, das ihm jahrelang Leben eingehaucht hatte, war zu einem plötzlichen Ende gekommen. Zum Ende einer theoretischen Möglichkeit. Der Abend war dem Kurs der *Titanic* gefolgt. Was sich feierlich anließ, erlitt bald Schiffbruch. Die Wahrheit gleicht häufig einem Eisberg. Immer noch nicht hatte sich Nathalie aus seinem Gesichtsfeld entfernt, und er wünschte, dass sie dies so schnell wie möglich tun würde. Selbst als winziger Punkt, der sie jetzt war, erschien sie ihm schrecklich unmäßig.

29

Charles schlenderte ein wenig herum, bis zum Parkplatz. Er setzte sich ins Auto und rauchte eine Zigarette. Sein Innenleben stand in vollkommenem Einklang mit dem aggressiven Gelb der Neonlichter. Er ließ den Motor an und schaltete das Radio ein. Der Moderator sprach von einer seltsamen Unentschiedenserie am Abend, die in der Tabelle der ersten Liga den Status quo aufrechterhielt. Das war alles gut aufeinander abgestimmt. Ihm war zumute wie einem Verein, der durch ein träges Meisterschaftsrennen stolpert. Er war verheiratet, hatte eine Tochter, leitete ein hübsches Unternehmen, doch in ihm gähnte eine große Leere. Seine Sehnsucht nach Nathalie war das Einzige, was ihn am Leben gehalten hatte. Alles vorbei, zunichte, zerstört, ruiniert. Sosehr er auch die Synonyme aneinanderreihte, es würde nichts mehr ändern. Da fiel ihm ein, dass es Schlimmeres gab, als von einer geliebten Frau abgewiesen zu werden: ihr jeden Tag begegnen zu müssen. Immer in ihrer Nähe zu sein, auf den Gängen auf sie zu stoßen. Auf die Gänge kam er nicht zufällig. Er fand sie schön, wenn sie sich in Büros aufhielt, doch er war immer der Ansicht gewesen, dass sich ihr erotisches Potenzial auf Gängen kräftiger entfaltete. Genau, seiner Meinung nach war sie eine Frau, die auf einen Gang gehörte. Und wenn man am Ende eines Gangs angelangt war, musste man umkehren, das begriff er soeben.

Dagegen sollte man nie noch einmal umkehren, wenn man auf dem Nachhauseweg ist. Charles fuhr die Straßen entlang, die er jeden Tag entlangfuhr. Der Weg roch derart nach Wiederholung des immer Gleichen, dass man hätte meinen können, er führe mit der Metro. Er stellte den Wagen ab und rauchte auf dem Parkplatz vor seinem Haus noch eine Zigarette. Als er seine Wohnungstür öffnete, entdeckte er seine Frau, die fernsah. Niemand wäre auf den Gedanken gekommen, dass Laurence einst von so etwas wie einer ungestümen Lüsternheit beseelt gewesen war. Langsam, aber sicher suhlte sie sich in einer prototypischen bourgeoisen Depression. Eigenartigerweise betrübte Charles das Bild, das sich ihm darbot, überhaupt nicht. Er ging gemütlich auf den Fernseher zu und schaltete ihn ab. Seine Frau stieß einige Protestlaute aus, ohne übermäßige Überzeugung. Er trat an sie heran und packte sie fest an den Armen. Sie wollte sich zur Wehr setzen, aber sie brachte keinen Ton über ihre Lippen. In Wahrheit hatte sie sich diesen Moment erträumt, wollte von ihrem Mann berührt werden, wollte, dass er nicht mehr an ihr vorbeiging und so tat, als ob sie gar nicht existierte. In ihrem täglichen Umgang übten sie den Untergang. Sie wechselten kein Wort, als sie sich ins Schlafzimmer begaben. Das Bett, das schon gemacht war, wurde plötzlich wieder durcheinandergebracht. Charles drehte Laurence herum und zog ihren Slip herunter. Die Abfuhr, die er von Nathalie erhalten hatte, hatte in ihm die Lust geweckt, mit seiner Frau zu schlafen, sogar, sie ein bisschen hart ranzunehmen.

30

Die Erstligaergebnisse des Abends,
an dem Charles klar wurde, dass er Nathalie nie gefallen würde

AJ Auxerre – Olympique Marseille	2:2
RC Lens – OSC Lille	1:1
FC Toulouse – FC Sochaux	1:0
Paris SG – FC Nantes	1:1
Grenoble Foot 38 – Le Mans FC	3:3
AS Saint-Etienne – Olympique Lyon	0:0
AS Monaco – OGC Nice	0:0
Stade Rennes – Girondins Bordeaux	0:1
AS Nancy – SM Caen	1:1
FC Lorient – Le Havre AC	2:2

31

Nach diesem Abendessen war das Verhältnis zwischen Nathalie und Charles nicht mehr das Gleiche. Charles zog sich zurück, was für Nathalie nur allzu verständlich war. Ihr nicht gerade sehr lebhafter Austausch beschränkte sich nun ausschließlich aufs Berufliche. Die Aufsicht über die jeweiligen Akten bedurfte selten einer vermittelnden Hand. Seit ihrer Beförderung leitete Nathalie ein Team, das sich aus sechs Leuten zusammensetzte.* Sie war in ein anderes Büro umgezogen, und das war ihr sehr gut bekommen. Wieso hatte sie diese Idee nicht früher gehabt? Reichte es, das Dekor auszutauschen, um die Gemütsverfassung aufzuhellen? Womöglich sollte sie über einen Wohnungswechsel nachdenken. Doch kaum hatte sie diese Möglichkeit in Betracht gezogen, begriff sie, dass sie dazu nicht in der Lage wäre. Die Trauer erzeugt zwei sich widerstrebende, unüberwindliche Kräfte, die die Notwendigkeit von Veränderung wie das morbide Bedürfnis, an der Vergangenheit festzuhalten, gleichermaßen antreiben. Sie würde es also dem Berufsleben überlassen, sich der Zukunft zuzuwenden. Ihr neues Büro, das im obersten Stockwerk des Gebäudes lag, ragte fast in den Himmel hinein, und sie war froh, dass sie keine Angst vor Abgründen hatte. Endlich einmal etwas, was sie unter Genuss einfacher Freuden verzeichnen konnte.

Die folgenden Monate standen im Zeichen einer anhaltenden unzähmbaren Arbeitswut. Sie hatte sogar überlegt, ob sie Schwedisch-Unterricht nehmen sollte, für den Fall, dass man ihr neue Aufgaben übertrug. Man konnte aber nicht behaupten, dass es der Ehrgeiz war, der sie drängte. Sie versuchte lediglich, sich mit Akten zu betäuben. Die Bekannten und Kollegen machten sich weiter Sorgen und hielten ihre exzessive

* In ihrer neuen Funktion hatte sie sich drei Paar Schuhe gekauft.

Arbeitsweise für eine Spielart einer Depression. Diese Mutmaßung ärgerte sie maßlos. Für sie stellte sich die Lage eindeutig dar: Sie wollte nun einmal viel arbeiten, um nicht denken zu müssen, um in kein Loch zu fallen. Sie kämpfte mit allen Mitteln, und es hätte ihr gefallen, wenn die Menschen, die ihr nahestanden, ihr in ihrem Kampf zur Seite gestanden hätten, anstatt nebulöse Theorien zu entwickeln. Sie war stolz auf das, was sie erreichte. Sie ging sogar am Wochenende ins Büro, nahm sich die Arbeit mit nach Hause und vergaß darüber die Zeit. Der Moment, an dem sie vor Erschöpfung zusammenbrach, würde sich zwangsläufig einstellen, doch fürs Erste war es allein dieses schwedische Adrenalin, dem sie die Fortschritte, die sie machte, zu verdanken hatte.

Alle waren von ihrer Energie beeindruckt. Da sie nicht die geringste Schwäche zeigte, begannen die Kollegen zu vergessen, was sie durchgemacht hatte. Für diese existierte François nur noch in einer verschwommenen Erinnerung, und vielleicht konnte sich diese Sicht auch auf Nathalie übertragen. Vor allem den Mitarbeitern ihres Teams stand sie aufgrund der vielen Zeit, die sie im Büro verbrachte, jederzeit zur Verfügung. Die Jüngste in diesem Bunde war Chloé, die auch als Letzte zur Gruppe hinzugestoßen war. Sie war sehr erpicht darauf, sich Nathalie anzuvertrauen, und berichtete vornehmlich von ihren Sorgen mit ihrem Verlobten und ihrer ständigen Angst: Denn sie war ungeheuer eifersüchtig. Sie wusste, die Eifersucht war vollkommen unbegründet, aber sie verlor leicht die Kontrolle und schaffte es nicht, eine vernünftige Haltung an den Tag zu legen. Da geschah etwas Eigenartiges:

Mithilfe Chloés von Unreife getränkten Erzählungen gelang es Nathalie, in eine verloren geglaubte Welt einzutauchen. In die Welt ihrer Jugend, als sie befürchtet hatte, keinen Mann zu finden, mit dem sie sich verstehen würde. Chloés Worte beschworen so etwas wie die Ahnung einer Erinnerung herauf.

32

Auszug aus dem Drehbuch zu Nathalie küsst

SZENE 32: INNEN, BAR

Nathalie und Chloé betreten eine Bar.
Sie sind nicht zum ersten Mal hier. Nathalie geht hinter Chloé her. Sie setzen sich etwas abseits in Fensternähe.
Außen: eventuell Regen.

CHLOÉ. (ganz locker). Na? Alles in Ordnung?
NATHALIE. Ja, alles prima.

Chloé beobachtet Nathalie.

NATHALIE. Warum sehen Sie mich so an?
CHLOÉ. Ich finde es schade, dass unser Verhältnis so unausgewogen ist. Erzählen Sie doch mehr von sich. Wir reden immer nur von mir.

NATHALIE. Was wollen Sie denn hören?

CHLOÉ. Es ist lange her, dass ihr Mann gestorben ist … und … stört es Sie, wenn wir darüber reden?

Nathalie scheint überrascht zu sein. Für gewöhnlich spricht niemand sie auf dieses Thema so direkt an. Pause, dann fährt Chloé fort.

CHLOÉ. Es ist doch so … Sie sind jung und schön … Und nehmen Sie zum Beispiel diesen Mann da, seitdem wir hier hereingekommen sind, schaut er Sie die ganze Zeit an.

Nathalie dreht sich um und begegnet dem Blick des Mannes, der sie anschaut.

CHLOÉ. Ich finde ihn echt nicht schlecht. Ich glaube, er ist Skorpion. Und da Sie Fisch sind, ist das die ideale Verbindung.

NATHALIE. Ich habe ihn noch gar nicht richtig gesehen, und Sie stellen schon Prognosen auf?

CHLOÉ. Oh, das Sternzeichen ist schon ein ausschlaggebender Faktor. Das ist das Hauptproblem mit meinem Freund.

NATHALIE. Dann ist da nichts zu machen? Er kann ja nicht zu einem anderen Sternzeichen übertreten.

CHLOÉ. Nein, er ist Stier und wird es immer bleiben, der Idiot.

Großaufnahme von Nathalies ausdruckslosem Gesicht.

SCHNITT

33

Nathalie kam sich lächerlich vor, hier zu sitzen und mit einem so jungen Mädchen derartige Diskussionen zu führen. Vor allem brachte sie es immer noch nicht fertig, im unmittelbaren Augenblick zu leben. Vielleicht konnte man das Leid so beschreiben: als eine Art, jeder gegenwärtigen Situation entfremdet zu sein. Gleichgültig sah sie dem Affenzirkus für Erwachsene zu. Sie konnte ohne Weiteres von sich behaupten: Ich bin gar nicht richtig da. Chloé versuchte, sie zurückzuhalten, sie in Richtung des Gedankens «Ich bin voll da» zu drängen, indem sie mit heiterer, schwungvoller Gegenwärtigkeit auf Nathalie einredete. Unermüdlich sprach Chloé von diesem Mann. Und siehe da, schon trank er sein Bier aus, und man spürte genau, dass er überlegte, ob er zu ihnen rüberkommen sollte. Aber der Übergang vom ersten Blick zur ersten Konversation, von den Augen zum Mund, ist keine einfache Sache. Nach einem langen Arbeitstag war er in der Art von ausgeruhter Stimmung, die einen mitunter antreibt, etwas zu wagen. Oft ist Erschöpfung der Schlüssel zu einer kühnen Tat. Er ließ Nathalie nicht aus den Augen. Was hatte er denn zu verlieren? Nichts, höchstens den Charme eines Unbekannten.

Er bezahlte sein Getränk und gab seinen Beobachtungsposten preis. Er machte einen Schritt, den man beinahe für einen entschlossenen Schritt hätte halten können, nach vorn. Nathalie war nur noch wenige Meter von ihm entfernt. Drei oder vier, nicht mehr. Ihr wurde klar, dieser Mann würde sie ansprechen. Sofort kam ihr ein merkwürdiger Gedanke: Möglich, dass dieser Mann, der auf mich zugeht, in sieben Jahren überfahren wird. Dieser Moment zeigte, wie zerbrechlich sie war, und musste sie unweigerlich beunruhigen. Jeder Mann, der sie ansprechen würde, würde ihr automatisch die Begegnung mit François ins Gedächtnis rufen. Dieser hier erinnerte allerdings mitnichten an ihren verstorbenen Mann. Mit einem Feierabendlächeln, einem Heile-Welt-Lächeln trat er vor. Doch als er an ihrem Tisch stand, blieb er stumm. Hing in der Luft. Er hatte sich entschieden, sich an sie heranzumachen, hatte sich aber nicht den geringsten Satz zurechtgelegt, mit dem er einsetzten könnte. Womöglich war er schlichtweg zu ergriffen? Erstaunt betrachteten die Frauen diesen erstarrten Mann, der dastand wie ein Ausrufezeichen.

«Guten Abend … darf ich mir erlauben, Sie auf ein Gläschen einzuladen?», verkündete er schließlich etwas uninspiriert.

Chloé willigte ein, und im Gefühl, dass das ja schon die halbe Miete war, ließ er sich nieder. Wie er so dasaß, ging es Nathalie durch den Kopf: Er ist dämlich. Will mir ein Getränk spendieren, wo mein Glas noch fast voll ist. Dann schwenkte ihre Meinung unvermittelt um. Seine Unentschlossenheit in dem Moment, in dem er auf sie zugekommen war, war doch rührend gewesen, dachte sie sich. Aber erneut meldete sich der Unwille in ihr zu Wort. Ihre widerstreitenden Launen schwankten unentwegt hin und her. Sie wusste ganz einfach nicht, was sie von ihm zu halten hatte. Jede ihrer Regungen unterlag einem anderen Willen.

Chloé nahm die Konversation in die Hand und türmte Anekdoten auf, die Nathalie in ein positives Licht rückten. Denen zufolge war Nathalie eine moderne, bestechende, witzige, kultivierte, dynamische, bestimmte, edle und bedingungslose Frau. In weniger als fünf Minuten ging der ganze Schwall über den Mann nieder, sodass dieser sich nur noch eines fragte: Und wo ist der Haken an der Sache? Während Chloé sich in lyrische Höhen aufschwang, war Nathalie bemüht gewesen, ein glaubwürdiges Lächeln aufzusetzen, ihre Wangenmuskeln zu lockern, und als sie hie und da auflachte, wirkte sie natürlich. Doch der Aufwand hatte sie ausgelaugt. Wozu war es gut, wenn sie sich um eines trügerischen Scheins willen so verausgabte? Wozu war es gut, wenn sie all ihre Kräfte aufbot, um sich umgänglich und liebenswürdig zu geben? Und außerdem, wie sollte das denn weitergehen? Mit der nächsten Verabredung? Er würde sie immer mehr ins Vertrauen ziehen, das lag in der Natur der Dinge. Mit einem Mal erschien ihr alles Einfache und Leichte in den finstersten Farben. Sie sah im Gewand einer harmlosen Unterhaltung die monströse Spirale des Beziehungslebens.

Sie entschuldigte sich und stand auf, um auf die Toilette zu gehen. Eine lange Weile betrachtete sie sich im Spiegel. Beobachtete jede Einzelheit ihres Gesichts. Beträufelte ihre

Wangen mit ein wenig Wasser. Fand sie sich selbst schön? Hatte sie über sich selbst eine Meinung? Bezüglich ihrer Weiblichkeit? Sie musste wieder zurück. Schon seit ein paar Minuten stand sie nun hier, reglos in ihrer Betrachtung, in ihren Gedankengängen. Zurück am Tisch griff sie nach ihrem Mantel. Sie erfand eine Ausrede, strengte sich aber nicht an, sich etwas glaubhaft Klingendes auszudenken. Chloé sagte noch einen Satz, den sie nicht mehr hörte. Sie war schon draußen. Wenig später, als der Mann sich schlafen legte, fragte er sich, ob er sich ungeschickt angestellt hatte.

34

Die Sternzeichen der Mitglieder von Nathalies Team

Chloé: Waage

Jean-Pierre: Fische

Albert: Stier

Markus: Skorpion

Marie: Jungfrau

Benoît: Steinbock

35

Als Nathalie sich am darauffolgenden Morgen eilig bei Chloé entschuldigte, ging sie auf keine Einzelheiten ein. Im Büro gab sie den Ton an. Nathalie war eine starke Frau. Sie erklärte einfach, dass sie sich im Augenblick nicht in der Lage fühle, an Vergnügungen teilzunehmen. «Schade», flüsterte die junge Kollegin. Das war's. Beide mussten sich wieder anderen Dingen zuwenden. Nathalie blieb nach diesem kurzen Wortwechsel einen Moment im Gang stehen. Dann kehrte sie an ihren Arbeitsplatz zurück. Endlich sah sie all die Akten in ihrem wahren Licht: in ihrer vollkommenen Bedeutungslosigkeit.

Sie hatte die Welt der Sinne nie voll und ganz hinter sich gelassen. War immer eine Frau aus Fleisch und Blut geblieben, auch in den Momenten, in denen sie sterben wollte. Vielleicht François zu Ehren, vielleicht war ihr auch der schlichte Gedanke gekommen, dass es mitunter reicht, Schminke aufzutragen, um lebendig zu wirken. Seit drei Jahren war er nun tot. Seit drei Jahren dümpelte ihr Leben in Ödnis dahin. Man hatte ihr oft ans Herz gelegt, sie solle sich von ihren Erinnerungen trennen. Das sei wohl die beste Art, dem Leben in der Vergangenheit ein Ende zu setzen. Sie ließ sich diesen Ausdruck auf der Zunge zergehen: «Sich von seinen Erinnerungen trennen.» Wie konnte man seine Erinnerungen abstreifen? In Bezug auf Gegenstände hatte sie das Verfahren angewandt. Die Gegenwart von Dingen, die er berührt hatte, hielt sie nicht mehr aus. Demnach war nicht viel übrig geblieben, außer einem Foto, das in der großen Schreibtischschublade lag. Einem Foto, das sich scheinbar dorthin verirrt hatte. Sie holte es oft heraus, wie um sich zu vergewissern, dass dieser Abschnitt ihres Lebens tatsächlich stattgefunden hatte. Außerdem befand sich in der Schublade ein kleiner Spiegel. Sie nahm ihn zur Hand und betrachtete sich, so wie es ein Mann tun würde, der sie zum ersten Mal sah. Sie stand auf und begann, im Büro auf und ab zu gehen. Stemmte die Hände in die Hüften. Durch die Auslegeware war der Klang ihrer hohen Absätze nicht zu hören. Auslegeware tötet jegliche Sinnlichkeit ab. Welcher Idiot war nur auf die Idee verfallen, die Auslegeware zu erfinden?

36

Es klopfte dezent. Ein allenfalls zweifingriges Klopfen. Nathalie zuckte zusammen, als hätten sie die vergangenen Minuten glauben gemacht, allein auf der Welt zu sein. Sie rief: «Herein!», und Markus betrat den Raum. Der Kollege stammte ursprünglich aus dem schwedischen Uppsala, einer Stadt, die die Welt nicht sonderlich bewegt. Selbst den

Einwohnern von Uppsala* haftet eine gewisse Verlegenheit an: Der Name ihrer Stadt klingt geradezu nach einer Entschuldigung. Schweden hat die höchste Selbstmordrate der Welt. Als Gegenentwurf zum Selbstmord bietet sich das Auswandern nach Frankreich an, so weit wohl Markus' Überlegungen. Seine äußere Erscheinung war eher unangenehm, aber man konnte auch nicht behaupten, dass er hässlich war. Sein Kleidungsstil hatte stets etwas leicht Ausgefallenes: Man fragte sich, ob er sich seine Sachen bei seinem Großvater, der Altkleidersammlung oder in einer angesagten Secondhandboutique besorgte. Im Ganzen ergab das ein nicht sonderlich einheitlich wirkendes Ensemble.

«Ich wollte Sie wegen der Akte 114 sprechen», sagte er.

Musste es sein, dass er zusätzlich zu seinem komischen Aussehen auch noch so dümmliche Sätze von sich gab? Nathalie hatte heute überhaupt keine Lust zu arbeiten. Zum ersten Mal seit langer Zeit. Ihr kam ihre Lage ausweglos vor. Es hätte nicht viel gefehlt, und sie wäre in einen Urlaub nach Uppsala aufgebrochen, das will einiges heißen. Sie sah diesen Markus an, der sich nicht von der Stelle bewegte. Und der ihren Blick entzückt erwiderte. Nathalie stellte für ihn die Art von unerreichbarer Frau dar, die die Phantasie beflügelt, die manche gegenüber jeder höherstehenden Person entwickeln, gegenüber jeglichem Wesen, das in der Position ist, Gewalt über sie auszuüben. Sie entschied jedenfalls, auf

* Gewiss ist es möglich, in Uppsala geboren zu sein und ein Ingmar Bergman zu werden. Nachdem wir dies geklärt hätten, darf man auch sagen, dass Bergmans Filme helfen können, sich die Gemütslage dieser Stadt vorzustellen.

ihn zuzugehen, ganz langsam, so richtig langsam. Fast hätte man Zeit gehabt, derweilen einen Roman zu lesen, so langsam ging sie. Sie schien nicht zum Stehen kommen zu wollen, sodass sie nun Markus' Gesicht ganz nahe war, sodass ihre Nase die seine berührte. Beim Schweden setzte die Atmung aus. Was wollte sie von ihm? Es blieb ihm keine Zeit, die Frage in seinem Kopf weiter auszuformulieren, denn sie begann, ihn heftig zu küssen. Ihn lange und eindringlich mit jugendlicher Intensität zu küssen. Dann wich sie plötzlich zurück:

«Die Akte 114 schauen wir uns später an.»

Sie öffnete die Tür und legte Markus nahe, ihr Büro zu verlassen. Wozu er nicht so einfach zu bewegen war. Er fühlte sich wie Armstrong, der soeben den Mond betreten hatte. Dieser Kuss war ein großer Schritt für die Menschheit. Eine Weile stand er still vor der Bürotür. Nathalie hingegen hatte schon wieder komplett vergessen, was eben vorgefallen war. Ihr Akt stand in keinerlei Zusammenhang mit anderen Akten ihres Lebens. Mit diesem Kuss hatten ihre Neuronen eine jähe anarchische Kundgebung abgehalten, dieser Kuss war ein grundloser, unmotivierter Akt.

37

Zur Erfindung der Auslegeware

Wer die Auslegeware erfunden hat, ist gar nicht so leicht herauszufinden. Dem *Larousse* zufolge ist Auslegeware ein «Teppich, der nach Metern verkauft wird».

Da haben wir doch eine Formulierung, die die schäbige Natur von Auslegeware belegt.

38

Markus war ein gewissenhafter Bursche, der es liebte, um Schlag 19 Uhr 15 nach Hause zu fahren. Den Fahrplan seiner Schnellbahn kannte er so in- und auswendig wie andere das Lieblingsparfum ihrer Frau. Er war mit der Reibungslosigkeit seines Tagesablaufs nicht unzufrieden. Bisweilen kam es ihm so vor, als seien die Fremden, denen er Tag für Tag begegnete, seine Freunde. An jenem Abend hätte er schreien und allen Leuten seine Geschichte erzählen mögen. Die Geschichte, in der Nathalies Lippen die seinen geküsst hatten. Er hatte Lust aufzustehen und an der erstbesten Station auszusteigen, einfach so, um das Gefühl des Ausbruchs aus der Gewohnheit zu vertiefen. Er wollte verrückt sein, und das war wahrscheinlich der Beweis dafür, dass er es nicht war.

Auf dem Nachhauseweg kamen ihm Bilder seiner schwedischen Kindheit in den Sinn. Die liefen ziemlich schnell ab. Eine Kindheit in Schweden ist ungefähr so wie Altern in der Schweiz. Aber dennoch fielen ihm diese Augenblicke ein, in denen er sich in der Schule in die letzte Reihe gesetzt hatte, bloß um die Mädchen von hinten zu betrachten. Jahrelang hatte er Nacken angehimmelt, den von Kristina, den von Pernilla, von Joana und von jeder Menge weiterer Mädchen, die auch auf *a* endeten, ohne dass es ihm je gelungen wäre, einen anderen Buchstaben anzutippen. An ihre Gesichter erinnerte er sich nicht. Er sehnte sich danach, sie wiederzusehen, nur um ihnen zu sagen, dass Nathalie ihn geküsst hatte. Weil er ihnen sagen wollte, dass ihnen der Sachverstand gefehlt hatte, um seinen Charme zur Kenntnis zu nehmen. Ach, das Leben war so schön.

Als er vor seinem Haus stand, geriet er ins Grübeln. Es gibt so viele Zahlenkombinationen, die wir uns einprägen müssen und die uns über den Kopf wachsen. Die PIN der Handys, die Internetzugangscodes, die Geheimzahlen der Kreditkarten … da zieht unweigerlich der Moment herauf, in dem man alles durcheinanderwirft. Man will in seine Wohnung gelangen und gibt an der Tür seine Telefonnummer ein. Markus, der über ein blendend strukturiertes Gehirn verfügte, fühlte sich vor derlei Entgleisungen sicher, und doch passierte ihm an jenem Abend genau das. Er konnte sich an den Code, den er brauchte, um ins Haus zu kommen, einfach nicht erinnern. Vergeblich probierte er allerhand Kombinationen aus. Wie war es möglich, dass man am Abend vergessen hatte, was man am Morgen noch ganz genau gewusst hatte? Befeuert die Fülle der täglich zu verarbeitenden Informationen den unaufhaltsamen Gedächtnisverlust? Endlich kam ein Nachbar des Wegs, der sich vor der Tür aufstellte. Er hätte die Tür sogleich öffnen können, zog es aber vor, den Moment seiner augenscheinlichen Herrschaft auszukosten. In seinem Blick war geradezu zu lesen, dass es von Männlichkeit zeugte, sich an den Code zu erinnern. Der Nachbar schritt schließlich zur Tat und verkündete schwülstig: «Bitteschön, nach Ihnen.» Markus dachte sich: «Wenn du wüsstest, was sich in meinem Kopf abspielt, du unbedeutendes Arschloch, das ist so schön, dass es alle unnützen Daten löscht ...» Er stieg die Treppe nach oben und hatte den ärgerlichen Zwischenfall gleich wieder vergessen. Er fühlte sich so leicht wie zuvor und spulte in seinem Kopf in einem fort die Kussszene ab. Die konnte nun schon als Kultfilm seiner Erinnerung gelten. Zuletzt öffnete er die Wohnungstür und fand sein Wohnzimmer im proportionalen Verhältnis zu seiner Lebenslust viel zu klein.

39

Der Code an Markus' Haustür

A9624

40

Am nächsten Morgen wachte er ungewöhnlich früh auf. So früh, dass er nicht einmal mit Sicherheit hätte sagen können, dass er überhaupt geschlafen hatte. Ungeduldig erwartete er den Sonnenaufgang, als hätte er mit ihm eine wichtige Verabredung. Was würde der heutige Tag bringen? Was würde Nathalie tun? Und er, was sollte er tun? Wer weiß, wie man sich zu verhalten hat, wenn eine schöne Frau daherkommt und einen, ohne Angabe irgendwelcher Gründe, küsst? Fragen über Fragen bestürmten ihn, und das war immer ein schlechtes Zeichen. Er musste ganz ruhig atmen (…) und (…) genau so (…) sehr gut (…). Und sich einreden, dass das heute ein Tag wie jeder andere war.

Markus liebte es zu lesen. Das war eine schöne Gemeinsamkeit, die zwischen Nathalie und ihm bestand. Er nutzte die täglichen Schnellbahnfahrten, um seinen Lesehunger zu stillen. Unlängst hatte er eine ganze Reihe Bücher eingekauft, und nun musste er entscheiden, welches von ihnen ihn an diesem großen Tag begleiten durfte. Es gab da diesen russischen Autor, den er gerne las, diesen Autor, der deutlich weniger als Tolstoi oder Dostojewski gelesen wurde, schwer zu sagen warum, aber das war ein zu dicker Wälzer. Er wollte lieber einen Text mitnehmen, aus dem er sich beliebig einzelne Stellen herauspicken konnte, er ahnte nämlich, er würde es nicht schaffen, sich zu konzentrieren. Daher fiel seine Wahl auf *Syllogismen der Bitterkeit* von E. M. Cioran.

In der Arbeit war er bemüht, so viel Zeit wie möglich in der Nähe des Kaffeeautomaten zuzubringen. Damit es nicht unnatürlich aussah, trank er mehrere Tassen. Nach einer Stunde geriet er allmählich in eine etwas zu fieberhafte Stimmung. Geringe Schlaf- und hohe Kaffeedosen ergeben eine gefährliche Mischung. Er ging auf die Toilette, fand, dass er einen benommenen Eindruck machte. Kehrte an seinen Arbeitsplatz zurück. Für heute stand gar keine Sitzung mit Nathalie auf dem Programm. Vielleicht sollte er einfach bei ihr klopfen? Unter dem Vorwand der Akte 114. Doch hinsichtlich der Akte 114 gab es rein gar nichts zu besprechen. Das wäre ja dämlich. Die Zweifel zernagten ihn, er hielt es nicht mehr aus. Eigentlich war es doch an ihr, zu ihm zu kommen! Sie war diejenige, die ihn geküsst hatte! So etwas durfte man nicht tun, sie musste eine Erklärung abgeben. Das war, wie etwas zu stehlen und dann schnell das Weite zu suchen. Genauso war's: Sie hatte in seinem Mund das Weite gesucht. Dennoch war ihm klar, dass sie nicht zu ihm kommen würde. Womöglich hatte sie diesen Augenblick gar vergessen, womöglich stellte dieser Kuss für sie nichts als einen grundlosen, unmotivierten Akt dar. Er hatte das richtige Gespür. Diese Möglichkeit schloss aus seiner Sicht eine schreckliche Ungerechtigkeit ein: Wie konnte ein Kuss, der für ihn unschätzbaren, ja unerschwinglichen Wert besaß, für sie grundlos und unmotiviert erfolgt sein? Dieser Kuss, er spürte ihn überall, am ganzen Körper.

41

Auszug aus einer Bildanalyse von Der Kuss *von Gustav Klimt*

Die meisten Werke von Klimt bieten Anlass zu unterschiedlichen Interpretationen, doch die Art und Weise der Thematisierung des Motivs des sich umschlungen haltenden Paars in Bildern wie dem Beethoven-Fries und dem Stoclet-Fries lässt darauf schließen, dass es sich bei *Der Kuss* um den höchsten Erfüllungsgrad der menschlichen Glückssuche handelt.

42

Markus gelang es nicht, sich zu konzentrieren. Er wollte eine Erklärung haben. Um an diese Erklärung heranzukommen, gab es nur einen Weg: Er musste dem Schicksal etwas nachhelfen. Vor Nathalies Arbeitszimmer auf und ab gehen, wenn nötig, den ganzen Tag. Früher oder später würde sie herauskommen und schwuppdiwupp … da stand er, der gerade rein zufällig vor ihrem Arbeitszimmer auf und ab ging. Kurz vor Mittag war er komplett schweißgebadet. Plötzlich fuhr es ihm durch den Sinn: «Ich erstrahle nicht gerade in meinem vollen Glanz!» Wenn sie jetzt herauskäme, würde sie auf einen untätig und schweißtriefend den Gang auf und ab stiefelnden Typen stoßen, der seine Zeit verplemperte. Sie würde ihn für jemanden halten, der grundlos und unmotiviert auf und ab stiefelt.

Nach dem Mittagessen meldeten sich seine Pläne vom Vormittag mit Macht zurück. Seine Vorgehensweise war die richtige, er musste weiter auf und ab gehen. Das war die einzige Möglichkeit. Auf und ab zu gehen und dabei so zu tun, als würde man irgendwohin gehen, ist keine leichte Aufgabe. Er musste entschlossen und konzentriert wirken. Am schwierigsten war es, sich mit gestellter Hochgeschwindigkeit fortzubewegen. Am Spätnachmittag, als er schon vollkommen erschöpft war, lief ihm Chloé über den Weg. Sie erkundigte sich:

«Geht's dir gut? Du siehst so komisch aus ...»

«Jaja, mir geht's gut. Ich vertrete mir gerade ein bisschen die Beine. So kann ich besser nachdenken.»

«Sitzt du immer noch über der 114?»

«Ja.»

«Und läuft's gut?»

«Ja, geht so. Einigermaßen.»

«Hör mal, die Sache mit der 108 macht mir nichts als Sorgen. Ich wollte schon mit Nathalie darüber reden, aber sie ist ja heute nicht da.»

«Ach? Echt? Sie ist ... nicht da?», erkundigte sich Markus.

«Na ... ich glaub, sie ist auf Dienstreise in der hintersten Provinz. Na gut, ich muss mal weiter, ich werd versuchen, das zu erledigen.»

Markus zeigte keine Reaktion.

Er war so viel gelaufen, dass er genauso gut in der hintersten Provinz hätte sein können.

43

Drei Aphorismen von Cioran, die Markus in der Schnellbahn gelesen hat

Die Kunst zu lieben? Sie besteht darin, mit dem
Temperament eines Vampirs die Diskretion einer
Anemone zu vereinen.

Ein Mönch und ein Metzger streiten sich
im Innern einer jeden Lust.

Beim Spermatozoon handelt es sich
um die Reinform eines Banditen.

44

Am folgenden Tag kam Markus in einem völlig anderen Gemütszustand in die Arbeit. Er verstand nicht mehr, wie er sich so töricht hatte verhalten können. Was für ein dummer Einfall, so auf und ab zu gehen. Der Kuss hatte ihn total aus dem

Gleichgewicht geworfen, und obwohl man dazusagen muss, dass es in seinem Liebesleben in letzter Zeit besonders beschaulich zugegangen war, war das noch kein Grund, sich derart kindisch zu benehmen. Er hätte ruhig Blut bewahren müssen. Er forderte zwar nach wie vor eine Aussprache mit Nathalie, aber er würde nicht mehr versuchen, einen fingierten Zufall ins Spiel zu bringen, um sie zu treffen. Er würde einfach zu ihr hineingehen.

Energisch klopfte er an die Tür ihres Arbeitszimmers. Sie sagte «herein», und er trat unumwunden ein. Da bekam er es mit einem größeren Problem zu tun: Sie war beim Friseur gewesen. Markus war jemand, der immer sehr auf die Haare bedacht war. Und hier bot sich ihm ein sagenhaftes Schauspiel. Nathalie hatte vollendet glattes Haar. Verblüffend schön. Wenn sie es nur zusammengebunden hätte, wie sie es mitunter tat, wäre alles einfacher gewesen. Aber angesichts eines solchen Aufmarschs der Kapillaren fehlten ihm die Worte.

«Ja, Markus, was führt Sie zu mir?»

Er brach seine gedanklichen Abschweifungen ab. Und sprach den erstbesten Satz, der ihm in den Sinn kam:

«Sie haben so schönes Haar.»

«Danke, sehr aufmerksam.»

«Nein, es gefällt mir wirklich sehr.»

Diese morgendlichen Bekundungen verwunderten Nathalie. Sie wusste nicht recht, ob sie lächeln sollte oder Grund zur Verlegenheit hatte.

«Ja, und nun?»

«...»

«Sie sind doch nicht bloß gekommen, um mit mir über meine Haare zu plaudern?»

«Nein … nein …»

«Also? Ich höre.»

«…»

«Markus, sind Sie noch da?»

«Ja …»

«Nun?»

«Ich will wissen, warum Sie mich geküsst haben.»

Aus der Tiefe ihrer Erinnerung tauchte der Kuss wieder auf. Wie hatte sie den vergessen können? Die Bilder fügten sich wieder zusammen, und sie verzog ein wenig angewidert den Mund, sie konnte den Reflex nicht unterdrücken. War sie verrückt geworden? Seit drei Jahren hatte sie sich keinem Mann angenähert, war überhaupt nicht auf den Gedanken gekommen, sich für einen zu interessieren, und mit einem Mal hatte sie diesen unscheinbaren Kollegen geküsst. Er stand da und wartete auf eine Begründung, was nur allzu verständlich schien. Die Zeit lief. Sie musste etwas sagen:

«Ich weiß es nicht», hauchte sie.

Markus war auf alles gefasst, sogar darauf, von ihr zurückgewiesen zu werden, aber sicherlich nicht auf dieses Nichts.

«Sie wissen es nicht?»

«Nein, ich weiß es nicht.»

«Damit können Sie mich nicht abspeisen. Sie müssen es mir erklären.»

Es gab nichts zu erklären.

Dieser Kuss war wie moderne Kunst.

45

Titel eines Gemäldes von Kasimir Malewitsch aus dem Jahre 1919

Weißes Quadrat auf weißem Grund

46

In der Folge war sie in sich gegangen: Wieso dieser Kuss? Er war einfach so geschehen. Man hat seine innere biologische Uhr eben nicht im Griff. Die Uhr der Trauer in dem Fall. Sie hatte sterben wollen, sie hatte versucht, wieder Fuß zu fassen, sie hatte es geschafft, Fuß zu fassen, zu essen und ihre Arbeit wiederaufzunehmen, ein Lächeln aufzusetzen, stark zu sein, sich aufgeschlossen zu zeigen und ihre weibliche Seite zu betonen, und darüber war die Zeit vergangen, in der sie ihre immer wieder ins Stocken geratende Energie darauf verwandte, sich wiederaufzurichten, bis zu dem Tag, an dem sie diese Bar betreten hatte, aus der sie dann geflüchtet war, weil sie es nicht ertragen hatte, wie der Kreis des Verführungsreigens sich drehte, weil sie überzeugt war, dass sie nie wieder

Gefallen an einem Mann finden würde, doch am nächsten Morgen war sie über die Auslegeware spaziert, nur so, aus einem Antrieb heraus, der einer gewissen Unentschiedenheit entsprang, sie hatte gefühlt, dass ihr Körper ein Objekt der Begierde war, hatte ihre Rundungen und Hüften gespürt, und sie hatte sogar bedauert, dass man den Klang ihrer hohen Absätze nicht hören konnte, all das war ganz unvermittelt passiert wie die unangekündigte Geburt eines Lebensgefühls, einer strahlenden Kraft.

Und in diesem Moment war Markus ins Zimmer gekommen.

Sonst gab es nichts zu erklären. Unsere innere Uhr tickt nicht nach den Regeln der Vernunft. Es ist genau wie beim Liebeskummer: Man weiß nicht, wann man wieder auf die Beine kommen wird. In den Augenblicken des schlimmsten Schmerzes glaubt man, man werde für immer eine klaffende Wunde mit sich herumtragen. Und dann, eines Morgens, wundert man sich, dass die schreckliche Last, die man auf sich getragen hat, weg ist. Vollkommen überrascht stellt man fest, dass die Beklommenheit gewichen ist. Wieso gerade jetzt? Warum nicht später oder schon früher? Der Körper fällt eine willkürliche Entscheidung. Was dieses Kussbedürfnis anging, durfte Markus keine wirkliche Erklärung verlangen. Er war im rechten Moment erschienen. Diese schlichte Frage des rechten Moments ist übrigens bei den meisten Lieben von größter Bedeutung. Markus, der so viel in seinem Leben verpasst hatte, erkannte soeben, dass er imstande war, im geeigneten Augenblick ins Blickfeld einer Frau zu treten.

Nathalie hatte die Verzweiflung in Markus' Blick gelesen. Nach dem letzten Gespräch war er langsam von dannen gezogen. Absolut geräuschlos. Diskret wie ein Strichpunkt in einem 800-Seiten-Roman. So konnte sie das nicht stehen lassen. Ihr Verhalten war ihr furchtbar peinlich. Außerdem ging ihr durch den Kopf, dass Markus eigentlich ein reizender Kollege war, der mit allen respektvoll umging, und somit wuchs ihr Unbehagen beim Gedanken, ihn möglicherweise verletzt zu haben. Sie ließ ihn noch einmal in ihr Büro rufen. Er nahm die Akte 114 unter den Arm. Für den Fall, dass sie ihn aus geschäftlichem Anlass sprechen wollte. Obwohl ihm die Akte 114 dermaßen schnuppe war. Auf seinem Gang zu dieser Vorladung machte er einen Schlenker auf die Toilette, um sich ein wenig Wasser ins Gesicht zu träufeln. Er öffnete die Tür, neugierig auf das, was sie ihm zu sagen haben würde.

«Danke, dass Sie gekommen sind.»

«Bitte.»

«Ich wollte mich entschuldigen. Ich wusste vorhin nicht, was ich Ihnen sagen soll. Und um ehrlich zu sein, weiß ich jetzt auch nicht mehr …»

« …»

«Ich weiß nicht, was in mich gefahren ist. Wahrscheinlich ein körperliches Verlangen … aber wir arbeiten zusammen, und ich muss festhalten, dass das reichlich unangebracht von mir war.»

«Sie reden ja wie eine Amerikanerin. Das ist immer ein schlechtes Zeichen.»

Sie musste lachen. Welch eine kuriose Antwort. Es war das erste Mal, dass sie ein anderes Thema als eine Akte hatten. Sie bemerkte so etwas wie einen Hinweis auf seinen eigentlichen Charakter. Sie musste sich zusammennehmen.

«Ich rede wie jemand, der für ein sechsköpfiges Team verantwortlich ist, zu dem auch Sie gehören. Sie sind in einem Moment hereingekommen, in dem ich in Träumereien versunken war, und ich habe die Wirklichkeit des Augenblicks wohl nicht ganz erfasst.»

«Aber das war der wirklichste Augenblick meines ganzen Lebens», hatte Markus spontan protestiert. Er sprach ganz offenherzig zu ihr.

Klingt, als sollte das keine leichte Kiste werden, dachte Nathalie. Lieber schnell die Konversation beenden. Was sie denn auch tat. Auf etwas barsche Weise. Markus verstand anscheinend nicht. Er stand wie angewurzelt in ihrem Büro und rang vergeblich um die Kraft, sich aus dem Staub zu machen. Um die Wahrheit zu sagen, als sie ihn vor zehn Minuten hatte rufen lassen, hatte er sich ausgemalt, dass sie ihn womöglich erneut küssen wollte. Er war durch diese Traumwelt gestreift, und nun war er gerade dabei, endgültig zu begreifen, dass zwischen ihnen nie wieder etwas sein würde. Er musste von Sinnen gewesen sein, daran geglaubt zu haben. Sie hatte ihn bloß einfach so geküsst. Das war schwer zu akzeptieren. Man hatte ihm das Glück geschenkt und es ihm dann gleich wieder entrissen. Er wünschte, den Geschmack von Nathalies Lippen nie kennengelernt zu haben. Wünschte, diesen Moment nie erlebt zu haben, er spürte nämlich, dass er Monate brauchen würde, um sich von diesen paar Sekunden zu erholen.

Er bewegte sich Richtung Tür. Überrascht registrierte Nathalie, dass sich in Markus' Auge eine Träne bildete. Eine Träne, die noch nicht geflossen war, sondern wartete, bis er draußen im Gang war, um dort zu entweichen. Er wollte diese Träne zurückhalten. Wollte vor allem vor Nathalie nicht weinen. Wie dumm, doch diese Träne, die er weinen würde, kam ganz unvorhergesehen.

Es war das dritte Mal, dass er vor einer Frau weinte.

47

Gedanke eines polnischen Philosophen

Es gibt großartige Menschen, die man im Leben zum falschen Zeitpunkt trifft. Und es gibt Menschen, die großartig sind, weil man sie im rechten Moment trifft.

48

Ein kleiner sentimentaler Rückblick auf Markus' Tränen

Sehen wir zunächst von den Tränen der Kindheit, den Tränen, die Markus vor seiner Mutter sowie vor seiner Grundschullehrerin vergoss, ab. Hier geht es nur um die Tränen der

Liebe. Bevor Markus sich bemüht hatte, vor Nathalie diese Träne zu unterdrücken, hatte er also bereits zweimal geweint.

Das erste Mal ging auf die Zeit zurück, als er noch in Schweden lebte, wo er ein Mädchen kannte, das auf den lieblichen Vornamen Brigitte hörte. Kein besonders schwedischer Name, aber na ja, der Ruhm von Brigitte Bardot kannte keine Grenzen. Brigittes Vater hatte sein Leben lang von dieser Legende geschwärmt und geträumt, insofern war ihm nichts Besseres eingefallen als seine Tochter so zu nennen. Blicken wir über das psychologische Unheil hinweg, das droht, wenn man bei der Namensgebung seiner Tochter einem erotischen Traum die Ehre erweist. Brigittes familiärer Hintergrund ist uns nicht so wichtig, oder?

Brigitte gehörte zu jener sonderbaren Kategorie von Frauen, die stets ganz klare Vorstellungen haben. Zu jedem Thema war sie imstande, eine Meinung beizutragen, die ihr der Zufall eingab. Mit ihrer Schönheit verhielt es sich genauso: Wenn sie am Morgen erwachte, stand ihr der Glanz schon ins Gesicht geschrieben. Sie war sich ihrer selbst vollkommen sicher, deshalb setzte sie sich immer in die erste Reihe und versuchte gelegentlich, die männlichen Lehrer aus dem Konzept zu bringen, indem sie mit ihrem prononcierten Charme spielte, was die geopolitischen Angelegenheiten dann in eine andere Richtung lenkte. Wenn sie einen Raum betrat, fingen die Männer gleich an, von ihr zu träumen, und die Frauen hassten sie instinktiv. Sie war Gegenstand sämtlicher erotischer Phantasien, und das ging ihr schließlich auf den Wecker.

Da hatte sie einen genialen Einfall, der die erhitzten Gemüter abkühlen sollte: Sie würde mit dem unscheinbarsten aller Jungen gehen. Damit wären die Kerle abgeschreckt, und die Weiber könnten sich abregen. Der glückliche Auserkorene war Markus, der nicht begriff, wie es kam, dass der Mittelpunkt der Welt sich plötzlich für ihn interessierte. Es war, als lüden die Vereinigten Staaten Liechtenstein zum Essen ein. Sie machte ihm eine Serie von Komplimenten und erklärte, sie würde ihn oft heimlich beobachten.

«Aber wie kannst du mich überhaupt sehen? Ich sitze immer in der letzten Reihe. Und du in der ersten.»

«Meinem Nacken bleibt nichts verborgen. Mein Nacken hat Augen», sagte Brigitte.

Ihr Bündnis beruhte auf diesem Dialog.

Ein Bündnis, das viel Gerede verursachte. Unter den entgeisterten Blicken aller verließen sie am Abend gemeinsam das Schulgebäude. Markus hatte damals noch kein besonders ausgeprägtes Bild von sich selbst. Ihm war klar, dass er mit einem leicht unangenehmen Äußeren behaftet war, doch es erschien ihm nicht übernatürlich, mit einer hübschen Frau auszugehen. Seit jeher hatte es geheißen: «Frauen sind nicht so oberflächlich wie Männer; für sie zählt das Äußere nicht so. Hauptsache, man ist kultiviert und immer lustig.» Infolgedessen hatte er sich viele Dinge angeeignet und versuchte nun, seinen Esprit an den Mann zu bringen. Mit ziemlichem Erfolg, muss man sagen. Somit trat sein poröses Gesicht zurück hinter das, was man das gewisse Etwas nennen konnte.

Doch dieses Etwas verhallte zum Auftakt der sexuellen Frage. Brigitte hatte sich sicherlich zu vielerlei überwunden, doch als er eines Tages versuchte, ihre sagenhaften Brüste zu berühren, rutschte ihr die Hand aus, und sie rammte ihre Klauen in Markus' überraschte Wange. Er wandte sich ab, um sich im Spiegel zu betrachten, und bemerkte bestürzt die rote Erscheinung auf seiner weißen Haut. Dieses Rot schrieb sich in sein Gedächtnis ein, und er sollte diese Farbe für immer mit dem Gedanken an Zurückweisung verbinden. Brigitte war bemüht, sich zu entschuldigen, und meinte, sie habe sich zu einer unüberlegten Geste hinreißen lassen, doch Markus hatte verstanden, was sie mit Worten nicht auszudrücken vermochte. Etwas Instinkthaftes, etwas Abgründiges: Sie ekelte sich vor ihm. Er sah sie an und begann zu weinen. So drückt sich jeder Körper auf seine eigene Weise aus.

Das war das erste Mal, dass er vor einer Frau weinte.

Er legte die schwedische Entsprechung des Abiturs ab und beschloss, nach Frankreich zu gehen. In ein Land, in dem die Frauen anders als Brigitte waren. Da er aus der ersten Episode seines Liebeslebens verletzt hervorgegangen war, entwickelte er Schutzmechanismen. Vielleicht sollte er eine Parallellaufbahn zur Welt der Sinne einschlagen. Er hatte Angst vor dem Leid, das man ihm antun könnte, und davor, aus triftigen Gründen nicht begehrenswert zu sein. Er war zerbrechlich und hatte keine Ahnung, wie sehr die Zerbrechlichkeit Frauen zu rühren imstande war. Nach drei in urbaner Einsamkeit zugebrachten Jahren, in denen er verzweifelt nach der Liebe Ausschau gehalten hatte, entschied er sich, an einem *Speed-Dating* teilzunehmen. So würde er sieben Frauen kennenlernen, mit denen er sich je sieben Minuten unterhalten durfte. Für jemanden wie ihn eine unendlich kurze Zeit: Um eine Kostprobe des anderen Geschlechts dahin zu bringen, ihn auf seinem schmalen Lebensweg zu begleiten, war mindestens ein Jahrhundert vonnöten, so seine Überzeugung. Dennoch geschah etwas Eigenartiges; gleich bei der ersten Begegnung hatte er das Gefühl, dass das Mädchen ganz auf seiner Wellenlänge lag. Es hieß Alice* und arbeitete in einer Apotheke**, wo sie gelegentlich auch Kosmetikworkshops veranstaltete***. Eigentlich war das Ganze recht einfach: Die Situation war ihnen beiden derart peinlich, dass sie sie entspannt angehen konnten. Ihre Begegnung gestaltete sich also furchtbar unkompliziert, und so trafen sie sich nach den Kennenlernrunden wieder, um die sieben Minuten auszudehnen. Aus den Minuten wurden Tage, dann Monate.

Doch ihre Liebe überdauerte kein Jahr. Markus mochte Alice wahnsinnig gern, aber er liebte sie nicht. Und vor allen Dingen begehrte er sie nicht hinreichend. Welch entsetzliches Problem: Da lernte er einmal eine anständige Frau kennen, schon war er partout nicht in sie verliebt. Sind wir auf immer

* Das ist komisch: Normalerweise trifft man Mädchen, die Alice heißen, nicht bei solchen Partnervermittlungsveranstaltungen an. Alices finden im Allgemeinen eher leicht einen Mann.

** Das ist komisch: Normalerweise arbeiten Mädchen, die Alice heißen, nicht in Apotheken. Alices arbeiten im Allgemeinen eher in Buchläden oder Reisebüros.

*** An diesem Punkt kann man sich fragen: Hieß sie wirklich Alice?

zur Unvollkommenheit verdammt? In den Wochen ihres Zusammenseins sammelte er Erfahrungen für das Beziehungsleben. Er entdeckte seine Stärken und sein Talent, die Zuneigung eines anderen zu gewinnen. Genau, Alice war ganz verrückt nach ihm. Für jemanden, der bis dahin nur die Mutterliebe gekannt hatte (und vielleicht noch nicht einmal die), war das geradezu beunruhigend. Markus hatte etwas sehr Sanftmütiges an sich, das auf einfache Weise berührend war, eine Mischung aus beruhigender Stärke und tröstender Schwäche. Und eben aufgrund dieser Schwäche schreckte er vor dem Unvermeidlichen zurück, davor, Alice zu verlassen. Eines Morgens tat er es dennoch. Der Kummer der jungen Frau bereitete ihm ungemein heftige Qualen. Die vielleicht heftiger waren als die ihrigen. Obwohl er wusste, dass es die richtige Entscheidung war, musste er weinen. Er wählte die Einsamkeit, ehe der Graben, der sich zwischen ihren Herzen auftat, größer wurde.

Das war also das zweite Mal, dass er vor einer Frau weinte.

Seit knapp zwei Jahren war in seinem Leben nichts mehr passiert. Manchmal trauerte er Alice hinterher. Vor allem, als er sich wieder beim *Speed-Dating* versuchte, was ausgesprochen enttäuschend verlief, um nicht zu sagen demütigend, da manche Mädchen sich nicht einmal die Mühe machten, mit ihm zu reden. Er hatte daraufhin beschlossen, nicht mehr hinzugehen. Hatte er vielleicht sogar einfach die Hoffnung auf ein Leben zu zweit aufgegeben? Zeitweilig hatte er das Interesse daran verloren. Es gab schließlich Millionen von Singles.

Er konnte auf eine Frau verzichten. Doch das sagte er sich, um sich zu beschwichtigen, um sich nicht vor Augen zu führen, wie unglücklich er in seiner Lage war. Er sehnte sich so nach einem weiblichen Körper, und zuweilen glaubte er, gleich platzen zu müssen, wenn er daran dachte, dass ihm all das von nun an sicherlich verwehrt bleiben würde. Dass sein Visum für den Zugang zur Schönheit für immer abgelaufen war.

Und plötzlich war Nathalie aufgetaucht und hatte ihn geküsst. Seine Vorgesetzte, die zugleich ganz eindeutig die Quelle seiner erotischen Phantasien war. Anschließend hatte sie ihm erklärt, dass das gar nicht stattgefunden habe. Nun gut, er musste sich bloß damit abfinden. Letztlich war das aber nicht so schlimm. Geweint hatte er trotzdem. Ja, er hatte Tränen in den Augen gehabt, worüber er sehr verwundert war. Hatte *unvorhersehbare* Tränen geweint. War er so zerbrechlich? Nein, das nicht. Er hatte schon weitaus schwierigere Situationen überstanden. Dieser Kuss hatte ihn lediglich in besonderem Maße gerührt; was natürlich an Nathalies Schönheit lag, aber auch an der Verrücktheit ihrer Anwandlung. Nie zuvor hatte ihn jemand – ohne mit seinen Lippen einen Termin vereinbart zu haben – einfach so geküsst. Dieser Zauber hatte ihn zu Tränen gerührt. Und nun: zu den bitteren Tränen der Enttäuschung.

49

In Anbetracht des Wochenendes, in das er sich flüchten konnte, war er recht guter Dinge, als er am Freitagabend nach Hause fuhr. Der Samstag wie auch der Sonntag würden ihm als zwei dicke Decken dienen. Er wollte sich dem Nichtstun hingeben und brachte es nicht einmal übers Herz zu lesen. Folglich setzte er sich vor den Fernseher. Und wurde so Zeuge eines außergewöhnlichen Schauspiels, des Schauspiels der Wahl zur Ersten Vorsitzenden der sozialistischen Partei Frankreichs. Im zweiten Wahlgang standen sich zwei Frauen gegenüber: Martine Aubry und Ségolène Royal. Bis dahin hatte er sich nie wirklich für französische Politik interessiert. Doch was hier geboten wurde, war eine mitreißende Geschichte. Besser noch: eine Geschichte, die ihn auf einen Gedanken bringen sollte.

In der Nacht von Freitag auf Samstag wurde das Ergebnis verkündet. Aber niemand war mit Gewissheit imstande zu sagen, wer gewonnen hatte. In den frühen Morgenstunden schließlich hatte man Martine Aubry, mit nur zweiundvierzig Stimmen Vorsprung, zur Siegerin erklärt. So ein geringer Abstand, Markus konnte es nicht fassen. Die Anhängerschaft von Ségolène Royal witterte einen Skandal: «Wir lassen uns unseren Sieg nicht wegnehmen!» Ein grandioser Satz, fand

Markus. So kämpfte die Unterlegene weiter und zweifelte das Resultat an. Man muss dazusagen, dass die Berichterstattung vom Samstag ihr offensichtlich recht gab, es traten nämlich Wahlbetrug und Auszählungsirrtümer zutage. Der Vorsprung wurde immer kleiner. Markus, vollkommen vom Geschehen gebannt, hörte die Stellungnahme von Martine Aubry. Sie präsentierte sich als neue Erste Parteivorsitzende, doch so einfach sollte das nicht sein. Am gleichen Abend verkündete Ségolène Royal in den Nachrichten, sie sei ebenfalls die neue Vorsitzende. Alle beide stellten sich als Siegerin dar! Die Entschlossenheit der beiden Frauen versetzte Markus in Begeisterung, vor allem die Letzterer, die trotz der Niederlage die Auseinandersetzung mit unheimlicher Willenskraft weiterführte. Um nicht zu sagen, mit übernatürlicher Willenskraft. In der Wucht dieser beiden politischen Urgewalten erkannte er all das, was er selbst nicht hatte. Und so fasste er an ebenjenem Samstagabend, als er durch die tragikomische Sozialistenschlacht irrlichterte, den Entschluss, in den Kampf zu ziehen. Fasste in Sachen Nathalie den Entschluss, es nicht dabei bewenden zu lassen. Auch wenn sie ihm gesagt hatte, dass alles aus war, dass er sich keine Hoffnungen zu machen brauchte, würde er dennoch weiterhin daran glauben. Er würde, koste es, was es wolle, der Erste Vorsitzende in ihrem Leben sein.

Ein erster kurzerhand gefasster Beschluss war: sie mit ihren eigenen Waffen zu schlagen. Wenn sie es nicht für nötig befunden hatte, ihn nach seiner Meinung zu fragen, bevor sie ihn küsste, sah er nicht ein, wieso er nicht das Gleiche tun durfte. Am Montagmorgen in aller Herrgottsfrühe würde er zu ihr gehen und es ihren Lippen mit gleicher Münze heimzahlen. Zu diesem Zweck würde er entschlossenen Schrittes auf sie zu gehen (was zum komplexesten Teil der Unternehmung gehörte: Zu einem entschlossenen Schritt war er nie sonderlich begabt gewesen) und sie mit einem männlichen Handgriff an sich reißen (was ein weiterer komplexer Teil der Unternehmung war: Zu jeglichem auch nur annähernd männlichen Handgriff war er nie sonderlich begabt gewesen). In anderen Worten: Der Feldzug versprach, eine komplexe Angelegenheit zu werden. Aber es blieb ihm ja noch ein ganzer Sonntag, um sich vorzubereiten. Ein langer sozialistischer Sonntag.

50

Statement von Ségolène Royal in dem Augenblick,
als sie 42 Stimmen zurücklag

Martine, du bist unersättlich,
du willst meinen Sieg nicht anerkennen.

51

Markus stand vor Nathalies Tür. Die Zeit drängte zur Tat, was ihn in vollkommene Reglosigkeit stürzte. Sein Teamkollege Benoît kam zufällig vorbei:

«Na, was machst du denn da?»

«Öh … ich bin mit Nathalie verabredet.»

«Und glaubst du, ihr werdet euch treffen, wenn du vor ihrer Tür stehen bleibst?»

«Nein … aber wir sind erst um zehn Uhr verabredet … und jetzt ist es 9 Uhr 59 … na, du kennst mich ja, ich komm ungern zu früh …»

Der Kollege ging weiter, ungefähr in dem Zustand, in dem er sich an jenem Tag im April 1992 befunden hatte, als er ein Stück von Samuel Beckett in einem Vororttheater gesehen hatte.

Markus sah sich nun zum Handeln gezwungen. Er betrat Nathalies Arbeitszimmer. Ihr Kopf steckte in einer Akte (vielleicht der 114?), aber sie blickte gleich auf. Entschlossenen Schrittes bewegte er sich auf sie zu. Doch so einfach sollte es nicht sein. Als er näher kam, musste er seinen Schritt verlangsamen. Sein Herz schlug immer wilder, eine wahre Hymne der Arbeiterbewegung. Nathalie fragte sich, was nun passieren würde. Und, offen gesagt, verspürte sie eine gewisse

Angst. Dabei wusste sie sehr wohl, dass Markus die Liebenswürdigkeit in Person war. Was hatte er vor? Warum bewegte er sich nicht mehr? Seine Gestalt ähnelte einem Computer, der aufgrund einer Datenüberlastung nicht mehr reagiert. In seinem Fall drehte es sich um emotionale Daten. Sie stand auf und fragte ihn:

«Markus, was ist los?»

«...»

«Geht es Ihnen nicht gut?»

Es gelang ihm, sich wieder auf den Anlass seines Erscheinens zu besinnen. Er packte sie abrupt an der Taille und küsste sie mit einem Schwung, den er sich selbst gar nicht zugetraut hatte. Ihr blieb keine Zeit, irgendetwas zu erwidern, denn er hatte sich bereits empfohlen.

52

Markus ließ den merkwürdigen Schauplatz des geraubten Kusses hinter sich. Nathalie wollte sich wieder in ihre Akte vertiefen, doch rang sie sich schließlich dazu durch, ihn suchen zu gehen. In ihr hatte sich etwas geregt, das schwierig zu beschreiben war. Im Grunde genommen war das seit drei Jahren das erste Mal gewesen, dass sie so gepackt worden war. Dass man sie nicht wie einen zerbrechlichen Gegenstand angefasst hatte. Wirklich erstaunlich, aber dieser überfallartige Akt nahezu brutaler Männlichkeit hatte sie verunsichert und zugleich betört. Sie lief durch die Gänge und erkundigte sich bei all den Angestellten, die ihren Weg kreuzten, wo Markus abgeblieben sei. Niemand wusste Bescheid. In seinem Büro war er nicht aufzufinden. Auf einmal fiel ihr ein, er könnte auf dem Dach des Hauses sein. Dort ging zu dieser Jahreszeit niemand hinauf, es war nämlich sehr kalt. Sie sagte sich, dass er da sein müsse. Eine innere Stimme sagte ihr das. Und er war da, stand in höchst entspannter Pose am Rande des Abgrunds. Er bewegte leicht die Lippen, sicherlich schöpfte er Atem. Fast sah es so aus, als würde er rauchen, nur ohne Zigarette. Nathalie ging schweigend auf ihn zu: «Ich flüchte mich auch manchmal hierher. Zum Verschnaufen», sagte sie.

Markus war von ihrem Erscheinen überrascht. Nach dem, was gerade geschehen war, hätte er nie geglaubt, dass sie sich auf die Suche nach ihm machen würde.

«Sie werden sich noch erkälten», gab er zurück. «Und ich kann Ihnen nicht mal einen Mantel anbieten.»

«Na gut, wir werden uns eben beide erkälten. Dann befinden wir uns wenigstens beide mal auf der gleichen Ebene.»

«Sie sind ja ganz schön auf Zack.»

«Nein, ich bin nicht auf Zack. Das zeigt sich ja schon daran, dass ich getan hab, was ich getan hab … aber es ist ja auch nicht so, dass ich ein Verbrechen begangen habe!»

«Das heißt, Sie haben von Gefühlen wirklich keine Ahnung. Kuss, Schluss, so was kommt durchaus einem Verbrechen gleich. Sie werden verdammt ins Königreich der verdorrten Herzen.»

«Ins Königreich der verdorrten Herzen? … Mir scheint, sonst reden Sie nie so mit mir.»

«Schon klar, dass die 114 mich dichterisch nicht so auf Touren bringt.»

Ihre Gesichter waren durch die Kälte entstellt. Eine gewisse Ungerechtigkeit trat dadurch stärker hervor. Markus lief leicht blau an, um nicht zu sagen, er wurde fahl, während Nathalie bleich wie eine an Neurasthenie leidende Prinzessin war.

«Wir sollten lieber wieder reingehen», meinte sie.

«Okay … Was machen wir jetzt?»

«Na … Jetzt lassen wir es gut sein. Es gibt nichts, was wir zu machen hätten. Ich habe mich entschuldigt. Wir brauchen doch keinen Roman draus zu machen.»

«Wieso nicht? Ich hätte nichts dagegen, diese Geschichte zu lesen.»

«Gut, es ist genug jetzt. Ich weiß nicht mal, warum ich hier überhaupt stehe und mit Ihnen rede.»

«In Ordnung, es ist genug. Aber erst nach einem gemeinsamen Essen.»

«Wie?»

«Wir gehen zusammen essen. Und danach reden wir nicht mehr davon, das versprech ich.»

«Ich kann nicht.»

«Das sind Sie mir schon schuldig … nur ein Essen.»

Manche Menschen haben ein außergewöhnliches Geschick dafür, solche Sätze auszusprechen. Dieses Geschick hindert andere Menschen daran, ihnen etwas auszuschlagen. Nathalie spürte, dass in Markus' Stimme all seine Überzeugung steckte. Ihr war klar, dass es ein Fehler sein würde, auf ihn einzugehen. Sie wusste, sie musste sich jetzt zurückziehen, sonst würde es zu spät sein. Aber sie konnte ihm unmöglich ihr Nein so direkt ins Gesicht sagen. Und außerdem war ihr doch so kalt.

53

Erläuternde Informationen die Akte 114 betreffend

Vergleichende, sich über den Zeitraum von November 1967 bis Oktober 1974 erstreckende Studie zur Regulierung des Außenhandelsausgleichs zwischen Frankreich und Schweden in ländlichen Gebieten.

54

Markus war noch einmal nach Hause gefahren, wo er seinen Kleiderschrank umkreiste. Was zog man an, wenn man mit Nathalie essen ging? Er wollte sich als eins a Gentleman präsentieren. Schon diese Zahl erschien ihm für sie zu klein. Er wollte mindestens ein 47 a Gentleman sein, oder ein 112 a, oder gar ein 387 a. Er berauschte sich an den Zahlen, um die wichtigen Fragen zu vergessen. Sollte er eine Krawatte tragen? Er hatte niemanden, der ihm half. War ganz allein auf einer Welt, die nur aus Nathalie bestand. Für gewöhnlich war er sich seiner bekleidungstechnischen Vorlieben recht sicher, doch hier verlor er in jeglicher Hinsicht den Boden unter den Füßen, bis er sich auch noch fragte, welche Schuhe er tragen sollte. Wahrlich, er war es nicht gewohnt, abends auszugehen. Außerdem war das ja eine heikle Angelegenheit; Nathalie war zugleich seine Vorgesetzte, das erhöhte den Druck. Endlich besann er sich, dachte, dass es nicht hauptsächlich auf das Äußere ankäme, und entspannte sich. Vorrangig müsse er sich locker geben und eine ungezwungene Unterhaltung über diverse Themen einfädeln. Und er durfte nicht über die Arbeit reden. Absolutes Redeverbot, was die Akte 114 anging. Verhindern, dass der Nachmittag auf den Abend abfärbte. Aber worüber sollten sie dann reden? Man verändert sich doch nicht mit dem sich verändernden Dekor. Wie zwei Fleischer auf einem Vegetarierkongress würden sie dasitzen. Nein, das war ja absurd. Vielleicht sollte er am besten absagen. Es war noch Zeit. Ein Fall von höherer Gewalt. Ja, Nathalie, es tut mir leid. Ich wäre wirklich gern mit Ihnen essen gegangen, das wissen Sie ja, aber nun gut, es ist so, dass heute Mama gestorben ist. O nein, das war nicht gut, viel zu heftig. Und das klang zu sehr nach Camus, um eine Verabredung abzublasen, taugt Camus nicht. Da ist Sartre schon besser. Ich kann heute Abend nicht kommen, die Hölle, das sind die andern, Sie verstehen. Eine Prise Existenzialismus in der Stimme, das würde sich gut machen. Als er seine Gedanken so schweifen ließ, fiel ihm ein, dass sie bestimmt auch nach Ausflüchten suchte, um im letzten Moment absagen zu können. Aber bis jetzt hatte sie sich noch nicht gemeldet.

Ihr Rendezvous war in einer Stunde. Sicher, dass sie gerade nach einem Verhinderungsgrund suchte. Oder vielleicht hatte sie auch ein Problem mit dem Akku ihres Telefons, weswegen sie ihm nicht Bescheid geben konnte, dass ihr etwas dazwischengekommen war. Er spann die Fäden eine Weile so weiter, und als er nichts von Nathalie hörte, machte er sich auf, mit dem Gefühl, dass er eine Weltraummission zu erfüllen hatte.

55

Er hatte ein italienisches Restaurant bei ihr in der Nähe gewählt. Dass sie mit ihm essen ging, war schon ziemlich nett von ihr, also wollte er sie nicht auch noch nötigen, durch die ganze Stadt zu fahren. Er war zu früh dran und bestellte sich daher im Bistro gegenüber zwei Wodka. In der Hoffnung, daraus Mut und auch ein wenig Trunkenheit zu schöpfen. Der Alkohol zeitigte allerdings keinerlei Wirkung, und so setzte er sich rüber ins Restaurant. Das heißt, als er zur vereinbarten Zeit Nathalie erblickte, war er bei völlig klarem Verstand. Ein Glück, dass ich nicht angesäuselt bin, war augenblicklich sein Gedanke. Die Freude über ihr Erscheinen mit einem Schwips zu trüben, das hätte er nicht gewollt. Sie kam auf ihn zu … Sie war so schön … so schön, dass es überall diese drei Pünktchen setzt … Des Weiteren dachte er sich, dass er sie ja noch nie am Abend gesehen hatte. Es erstaunte ihn beinahe, dass sie zu dieser Stunde überhaupt existieren konnte. Er hatte offenbar gedacht, dass man die Schönheit nachts in einer Kiste verräumt. Das stimmte wahrscheinlich nicht, denn nun war sie da. Und stand vor ihm.

Er stand auf, um sie zu begrüßen. Ihr war nie aufgefallen, dass er so groß war. Man muss wohl festhalten, dass im Büro die Belegschaft durch die Auslegeware kleiner erschien. Draußen wirkten alle größer. Dieser erste Eindruck von Größe sollte ihr lange im Gedächtnis haften bleiben.

«Danke, dass Sie gekommen sind», konnte Markus nicht umhin zu sagen.

«Bitte …»

«Nein … im Ernst, ich weiß doch, dass Sie viel Arbeit haben … besonders zurzeit … mit der Akte 114 …»

Sie warf ihm einen Blick zu.

Er lachte verlegen.

«Dabei hatte ich mir vorgenommen, nicht von den Akten zu reden … meine Güte, ich bin so lächerlich …»

Nun lächelte auch Nathalie. Zum ersten Mal seit dem Tod von François befand sie sich in einer Situation, in der sie jemanden beruhigen musste. Das würde ihr guttun. Seine Verlegenheit hatte etwas Herzergreifendes. Sie erinnerte sich an das Abendessen mit Charles, an die Selbstsicherheit, die er ausstrahlte, im Vergleich dazu war ihr jetzt wohler. In Anbetracht der Aussicht auf ein Abendessen mit einem Mann, der sie ansah wie ein Politiker, der seinen Sieg bei einer Wahl verkündete, zu der er gar nicht vorgeschlagen war.

«Reden wir lieber nicht von der Arbeit», sagte sie.

«Worüber reden wir denn? Über unsere Interessen? Interessen sind prima als Gesprächseinleitung.»

«Hm … na ja, das ist ein bisschen komisch, wenn man so überlegt, worüber man sich unterhalten könnte.»

«Ich finde, die Suche nach einem Gesprächsthema ist ein gutes Gesprächsthema.»

Ihr gefiel dieser letzte Satz und die Art, wie er ihn gesagt hatte. Sie hielt fest:

«Sie sind ja eigentlich ganz lustig.»

«Danke. Mache ich sonst einen so finsteren Eindruck?»

«Ein bisschen … ja», meinte sie mit einem Lächeln.

«Reden wir lieber wieder von den Interessen. Ich glaube, das ist besser.»

«Ich werd Ihnen was sagen. Ich denke eigentlich gar nicht mehr darüber nach, was mich interessiert und was nicht.»

«Darf ich Ihnen eine Frage stellen?»

«Ja.»

«Haben Sie einen Hang zur Nostalgie?»

«Nein, ich finde nicht.»

«Das kommt bei Nathalies nicht häufig vor.»

«Ach wirklich?»

«Ja, Nathalies haben einen deutlichen Hang zur Nostalgie.»

Wieder musste sie lächeln. Das entsprach nicht mehr ihrer Gewohnheit. Doch die Worte dieses Mannes hatten oft etwas Verwirrendes. Man konnte nie wissen, was als Nächstes kommen würde. Sie fand, die Wörter, die aus dem Innern seines Kopfes nach draußen drangen, waren wie Lottokugeln. Hatte er noch weitere sie betreffende Theorien auf Lager? Die Nostalgie. Sie stellte sich ernstlich die Frage nach ihrem Verhältnis zur Nostalgie. Durch Markus war sie plötzlich auf Bilder ihrer Vergangenheit gestoßen. Unversehens erschien ein Sommer, sie war acht Jahre alt. Damals war sie mit ihren Eltern nach Amerika gereist und zwei herrliche Monate lang durch die weiten Landschaften des Westens gezogen. Diese Ferien hatten im Zeichen einer Schwärmerei gestanden: Der Schwärmerei für PEZ. Die kleinen Bonbons, die in den kleinen Figuren stecken. Man drückt bloß oben drauf, und schon bietet die Figur ein Bonbon feil. So ein Ding machte das Wesen eines Sommers aus. Danach hatte sie diese Figuren nie wieder gesehen. Diese Erinnerung rief Nathalie in dem Moment wach, als der Kellner kam.

«Haben Sie sich entschieden?», fragte er.

«Ja. Wir nehmen zwei Mal Spargelrisotto. Und zum Dessert ... wollen wir PEZ», gab Markus bekannt.

«Was?»

«PEZ.»

«Wir haben kein ... PEZ, Monsieur.»

«Schade», schloss Markus.

Leicht gereizt machte sich der Kellner davon. Tief in ihm drin verliefen zwei geradlinige Parallelen, sein Geschäftssinn und sein Sinn für Humor. Er verstand nicht, was eine solche Frau mit einem solchen Mann zu schaffen hatte. Bestimmt produzierte er Kinofilme, und sie war Schauspielerin. Es musste einen beruflichen Hintergrund haben, wenn sie mit einem derart schrägen Vogel essen ging. Und was war das für eine Geschichte mit dem «Bez»? War das jetzt wieder so eine neumodische Abkürzung? Für Bezahlen vielleicht? Solche Anspielungen konnte er gar nicht leiden. Er kannte diese Sorte von Gästen nur zu gut, die ständig das Bedienungspersonal herabwürdigten. So würde das nicht laufen.

Aus Nathalies Sicht nahm der Abend eine charmante Wendung. Markus amüsierte sie.

«Wissen Sie, das ist jetzt erst das zweite Mal in drei Jahren, dass ich ausgehe.»

«Wollen Sie zusätzlich den Druck auf mich erhöhen?»

«Ach was, alles wird gut.»

«Wunderbar. Ich werde versuchen, alles so einzurichten, dass Sie einen angenehmen Abend verbringen. Wenn mir das nicht gelingen sollte, sinken Sie gleich in den nächsten Winterschlaf.»

Der Umgang zwischen ihnen gestaltete sich ausgesprochen einfach. Nathalie fühlte sich wohl. In Markus sah sie weder einen Freund noch jemanden, mit dem sie sich in ein Liebesabenteuer stürzen wollte. Er war der Inbegriff einer gemütlichen Sphäre, einer Sphäre, die in keinerlei Zusammenhang mit ihrer Vergangenheit stand. Damit waren die Konditionen für einen schmerzfreien Abend endlich zur Gänze erfüllt.

56

Notwendige Zutaten für ein Spargelrisotto

200 g Arborio-Reis (oder Rundkornreis)
500 g Spargel
100 g Pinienkerne
1 Zwiebel
20 cl trockener Weißwein
10 cl Schlagsahne
80 g geriebener Parmesan
Haselnussöl
Salz
Pfeffer

Für die Parmesanscheibchen

80 g geriebener Parmesan
50 g Pinienkerne
2 Esslöffel Mehl
ein paar Tropfen Wasser

57

Markus hatte Nathalie oft beobachtet. Für sein Leben gern sah er sie durch die Gänge huschen und ihre Kostüme über die Auslegeware gleiten. Nun prallten seine Phantasiegebilde auf die Wirklichkeit. Er wusste so gut wie alle anderen, was sie durchgemacht hatte. Gleichwohl hatte er von ihr immer nur die Seite wahrgenommen, die sie auch zeigte: die einer zuversichtlichen und äußerst selbstbewussten Frau. Indem er sich mit ihr auf einmal in einem anderen gesellschaftlichen Rahmen wiederfand, in dem sie weniger auf ihr Auftreten bedacht sein musste, hatte er das Gefühl, ihre Zerbrechlichkeit erahnen zu können. Nur schwach zwar, aber in manchen Augenblicken gab sie kurz ihre Deckung auf. Je gelöster sie war, desto mehr kam ihre wahre Natur zum Vorschein. Paradoxerweise schienen ihre wunden Punkte, ihre durch das Leid verursachten wunden Punkte, durch ihr Lächeln hindurch. Das hatte den Effekt einer Wippe, und Markus schlüpfte allmählich in die Rolle des Stärkeren, um nicht zu sagen des Beschützers. In ihrer Gegenwart erwies er sich als lustig und lebhaft, als männlich geradezu. Die Dynamik dieser Minuten hätte sich nach seinem Geschmack durch sein ganzes Leben ziehen können.

Freilich konnte er im Kleide des Mannes, der die Sache in die Hand nimmt, nicht ganz fehlerfrei bleiben. Beim Bestellen der zweiten Flasche brachte er die Namen der Weine durcheinander. Er hatte so getan, als würde er sich auskennen, und der Kellner hatte prompt einen spitzen Kommentar fallenlassen, der entlarvte, dass dem nicht so war. Eine kleine persönliche Rache. Markus war höchst aufgebracht, so aufgebracht, dass er sich, als der Kellner die Flasche servieren wollte, folgende Bemerkung gestattete:

«Ah, vielen Dank, der Herr. Wir hatten ja schon solchen Durst. Und wir werden jetzt auf Ihre Gesundheit trinken.»

«Danke. Sehr freundlich.»

«Nein, das ist keine Freundlichkeit. In Schweden gibt es eine Tradition, die besagt, dass sich die Lage eines jeden jederzeit verändern kann. Nichts ist je endgültig. Sie zum Beispiel, der Sie jetzt hier stehen, könnten eines Tages sitzen. Wenn Sie übrigens wollen, stehe ich gleich auf und überlasse Ihnen meinen Stuhl.»

Markus sprang unvermittelt auf, und der Kellner überlegte, wie er sich verhalten sollte. Er lächelte verlegen und stellte die Flasche hin. Nathalie fing an zu lachen, auch wenn sie nicht recht verstand, was Markus bezweckte. Ihr hatte einfach die Intervention des Grotesken gefallen. Um den Kellner in seine Schranken zu verweisen, war es vielleicht der beste Weg, ihm alle Türen zu öffnen. Es war für sie ein magischer Moment, den sie genossen hatte. Sie fand, Markus hatte etwas leicht «Osteuropäisches» an sich, das in ihren Augen absolut reizend war. Seinem Schweden wohnte etwas Rumänisches oder Polnisches inne.

«Sind Sie eigentlich wirklich Schwede?», fragte sie.

«Wie ich mich über diese Frage freue. Stellen Sie sich vor, Sie sind die Erste, die an meiner Herkunft zweifelt … Sie sind wirklich großartig.»

«Ist es ein so hartes Brot, Schwede zu sein?»

«Sie haben ja keine Ahnung. Wenn ich da hinkomme, sagen alle, ich sei eine Stimmungskanone. Können Sie sich das vorstellen? Ich, eine Stimmungskanone?»

«Schwerlich, in der Tat.»

«Die Leute dort sind zur Schwermütigkeit berufen.»

So ging es den ganzen Abend weiter, Momente, in denen sie sich die Blöße gaben, wechselten sich ab mit Momenten des Wohlbefindens, in denen sie glaubten, den anderen schon lange zu kennen. Sie hatte früh zu Hause sein wollen, aber es war schon nach Mitternacht. Die Leute um sie herum verließen das Lokal. Der Kellner bedeutete ihnen plump, dass es vielleicht langsam Zeit wurde aufzubrechen. Markus stand auf, ging auf die Toilette und bezahlte die Rechnung. Er tat das alles mit viel Eleganz. Als sie auf der Straße standen, schlug er vor, sie nach Hause zu begleiten. Er war so zuvorkommend. Vor ihrem Haus fasste er sie an der Schulter und küsste sie auf die Wange. Ihm ging in diesem Moment auf, was er eigentlich schon wusste: Dass er rettungslos in sie verliebt war. Nathalie fand, dass dieser Mann mit jeder seiner Aufmerksamkeiten Zartgefühl bewies. Sie freute sich richtig, dass sie diesen Abend mit ihm verbracht hatte. Sie konnte an nichts anderes denken. Als sie in ihrem Bett lag, schickte sie ihm eine SMS, um sich zu bedanken. Und löschte das Licht.

58

Wortlaut der SMS von Nathalie an Markus nach ihrem ersten gemeinsamen Abendessen

Danke für den schönen Abend.

59

Seine Antwort war ein Schlichtes: «Durch Sie konnte er erst schön werden.» Er hätte etwas Originelleres, Lustigeres, Herzerweichenderes, Romantischeres, literarisch Wertvolleres, Russischeres, etwas Mauvefarbeneres antworten wollen. Aber letztlich entsprach das ausgezeichnet der Stimmungslage des Moments. Er lag im Bett und wusste, er würde nicht schlafen können. Wie konnte man süß träumen, wenn man gerade erst aus einem Traum erwacht war?

Es gelang ihm, ein wenig zu schlafen, doch eine Angst weckte ihn. Wenn so ein Abend gut läuft, taumelt man vor Freude. Und dann, allmählich, tritt der Scharfsinn auf den Plan und lässt einen die weiteren Ereignisse vorwegnehmen. Wenn so ein Abend schlecht läuft, sind die Dinge wenigstens klar: Man sieht sich nie wieder. Doch wie galt es in dem Fall weiter vorzugehen? All das im Laufe des Abends gewonnene Selbstvertrauen und Selbstbewusstsein verflüchtigte sich in der Nacht: Man durfte nie die Augen schließen. Seine Vorahnungen nahmen nach einem gewöhnlichen Vorgang Gestalt an. Am frühen Morgen waren Nathalie und Markus sich auf den Gängen über den Weg gelaufen. Der eine ging gerade Richtung Kaffeeautomat, die andere kam gerade vom Kaffeeautomaten zurück. Sie hatten sich verlegen zugelächelt und dann ein etwas theatralisches *bonjour* über die Lippen gebracht. Sie waren beide außerstande gewesen, darüber hinaus ein Wort zu verlieren, irgendeine Belanglosigkeit zu äußern, die in ein Gespräch hätte münden können. Nichts, gar nichts. Nicht einmal ein schüchterner Fingerzeig auf das Wetter, keine Bemerkung über die Wolken oder den Sonnenschein, nein, nichts, die weiteren Aussichten: trübe. In diesem Unbehagen waren sie auseinandergegangen. Sie hatten sich nichts zu sagen gehabt. Manche Leute nennen das *die interstellare Leere danach*.

Markus saß in seinem Arbeitszimmer und versuchte, sich zu beruhigen. Dass nicht immer alles perfekt sein konnte, war völlig normal. Das Leben bestand in erster Linie aus verworrenen Situationen, Stellen, die man streichen konnte, und Pausen. Bei Shakespeare werden auch nur die lichten Momente der Figuren erwähnt. Doch träfen Romeo und Julia am Morgen nach einem schönen Abend im Gang aufeinander, hätten sie sich bestimmt auch nichts zu sagen. Das war alles nicht schlimm. Er musste vielmehr seinen Blick auf die

Zukunft richten. Darauf kam es an. Und man kann sagen, dass er das gut hinbekam. Sehr bald sprudelte er vor Ideen für abendliche Unternehmungen, vor nächtlichen Plänen. Er schrieb alles auf einem großen Blatt Papier nieder, eine Art Angriffsstrategie. Die Akte 114 existierte nicht mehr in seinem kleinen Büro, die Akte 114 war durch die Akte Nathalie beseitigt worden. Er hatte niemanden, dem er sich anvertrauen, den er um Rat fragen konnte. Es gab durchaus ein paar Kollegen, mit denen er in einem guten Verhältnis stand. Vor allen Dingen Berthier teilte er sich mit und schüttete hin und wieder seine Herzensangelegenheiten aus. Aber was Nathalie betraf, kam es überhaupt nicht infrage, hier irgendjemanden einzuweihen. Er musste seine Unsicherheit hinter einem Schweigen verschanzen. Schweigen konnte er zwar, doch er fürchtete, dass sein Herz, wenn es so laut pochte, deutlich zu hören war.

Im Internet sah er sich alle möglichen Seiten an, auf denen romantische Abendunterhaltungen angeboten wurden, Schiffsfahrten (es war allerdings kalt draußen) oder Theaterbesuche (im Theater war es allerdings meistens zu warm und außerdem hasste er Theater). Etwas besonders Aufregendes war nicht dabei. Er hatte Angst, etwas vorzuschlagen, das entweder zu pompös oder nicht pompös genug erschien. Mit anderen Worten, er hatte keine Ahnung, weder was ihr gefallen könnte noch was in ihr vorging. Möglicherweise wollte sie ihn gar nicht wiedersehen. Sie hatte sich bereit erklärt, einmal mit ihm essen zu gehen. Vielleicht sollte das alles sein. Sie hatte ihren Beitrag dazu geleistet, dass der Abend gelang. Und nun war es vorbei. Ein Versprechen gilt nur für die Zeit des Versprechens. Aber immerhin hatte sie ihm für den schönen Abend gedankt. Genau, sie hatte das Wort «schön» benutzt. Markus ließ sich das Wort auf der Zunge zergehen. Das war doch schon was. Ein schöner Abend. Ebenso hätte sie schreiben können: «ein angenehmer Abend», aber nein, sie hatte lieber «ein schöner Abend» geschrieben. «Schön», das war schön. Wirklich, was für ein schöner Abend. Man wähnte sich in großen vergangenen Zeiten, die Frauen trugen damals lange Kleider, man fuhr in Kutschen ... «Wo bin ich denn überhaupt mit meinen Gedanken?», regte er sich plötzlich auf. Er musste etwas tun und aufhören, so vor sich hin zu träumen. Richtig, dieses «schön» war schön und gut, aber jetzt musste es weitergehen, er musste schön am Ball bleiben, sonst würde er mit schön leeren Händen dastehen. Oh, er war so verzweifelt. Es fiel ihm rein gar nichts ein. Die Leichtigkeit des gestrigen Abends hatte diesen einen Abend nicht überdauert. Eine Selbsttäuschung. Er kehrte zurück in sein jämmerliches Dasein eines Mannes ohne Eigenschaften, eines Mannes, dem nichts einfiel, um eine zweite Verabredung mit Nathalie auf die Beine zu stellen.

Es klopfte.

Markus sagte «herein». Es erschien das Wesen, das angegeben hatte, einen schönen Abend mit ihm verbracht zu haben. Tatsächlich, vor ihm stand Nathalie, ganz real.

«Na, wie geht's? Stör ich Sie? Sie wirken sehr konzentriert.»

«Öh … nein … Ja, mir geht's gut.»

«Ich wollte Sie fragen, ob Sie morgen Abend mit mir ins Theater gehen … Ich habe zwei Karten … wenn Sie also …»

«Ich liebe Theater. Mit dem größten Vergnügen.»

«Wunderbar. Bis morgen Abend also.»

Er hauchte gleichfalls ein «bis morgen Abend», doch zu spät. Seine Worte schwebten verunsichert im Raum, denn es war kein Gehör mehr zugegen, das sie hätten finden können. Jede einzelne seiner Zellen bebte vor massivem Glück. Und im Innern dieses verzückten Königreichs hüpfte sein Herz vor Freude.

Seltsamerweise stimmte das Glück ihn ernst. In der Metro beobachtete er die Leute in den Abteilen, all diese im Alltagstrott festgefahrenen Menschen, und hatte das Gefühl, ihnen nicht wirklich fremd zu sein. Er wollte sich nicht setzen und dachte, dass er die Frauen mehr denn je liebte. Zu Hause angekommen, spulte er seine eingespielten Abläufe ab. Aber er hatte eigentlich gar keine Lust zu Abend zu essen. Er legte sich aufs Bett und versuchte, einige Seiten zu lesen. Dann löschte er das Licht. Nur siehe da: Er konnte nicht schlafen, so wie er überhaupt seit Nathalies erstem Kuss fast kein Auge zugetan hatte. Sie hatte ihn um den Schlaf gebracht.

60

Anwendungsgebiete von Guronsan

Vorübergehende Erschöpfungszustände bei Erwachsenen.

61

Der Tag ging schnell herum. Es gab sogar eine Teambesprechung, die ganz nach dem üblichen Muster verlief, und niemand ahnte, dass Nathalie am Abend mit Markus ins Theater gehen würde. Für Markus ein recht wohliges Gefühl. Beschäftigte haben es gern, wenn sie ein Geheimnis hüten können, unter der Hand Bündnisse schließen, ein Doppelleben führen, von dem keiner etwas mitbekommt. Das verleiht ihrem Verhältnis zum Betrieb Würze. Nathalie hatte die Fähigkeit entwickelt, ihre Persönlichkeit zu spalten. Der Schicksalsschlag hatte sie in mancherlei Hinsicht immunisiert. Das heißt, sie konnte mechanisch eine Besprechung leiten und dabei fast vergessen, dass der Tag in einen Abend mündete. Markus hätte durchaus gern in Nathalies Blick eine besondere Zuwendung zu ihm, ein Zeichen des stillen Einverständnisses entdeckt, doch das gehörte anscheinend nicht hierher.

Chloé erging es ähnlich, sie hätte es toll gefunden, wenn den anderen hin und wieder aufgefallen wäre, dass sie zu ihrer Vorgesetzten eine privilegierte Beziehung unterhielt. Sie war die Einzige, die Nathalie in Augenblicken erlebte, die in eine Kategorie fielen, in der man sich genauso gut hätte duzen können. Seit Nathalies Flucht aus der Bar hatte Chloé sich nicht weiter bemüht, neuerliche Vergnügungen zu arrangieren. Sie wusste um das Gefahrenmoment, das solche Abende bargen: Die Tatsache, dass sie Zeugin der Verletzlichkeit ihrer Chefin wurde, konnte sich leicht gegen sie wenden. In vollendeter Manier achtete sie daher darauf, die verschiedenen Bereiche nicht durcheinanderzubringen und die Hierarchie einzuhalten. Am Ende des Tages suchte sie Nathalie auf:

«Wie geht es Ihnen? Wir haben uns seit dem letzten Mal kaum gesprochen.»

«Ich weiß, Sie können nichts dafür, Chloé. Aber es war wirklich der richtige Zeitpunkt zu gehen.»

«So, so? Sie sind ja Hals über Kopf davongestürmt, und Sie meinen, das war der richtige Zeitpunkt?»

«Ja, ich versichere es Ihnen.»

«Dann ist ja alles prima ... Wollen Sie, dass wir heute Abend noch mal hingehen?»

«Ach nein, tut mir leid, ich kann nicht. Ich gehe ins Theater», sagte Nathalie, als würde sie ankündigen, dass sie demnächst ein grünes Männchen zur Welt bringen würde.

Chloé wollte sich nicht überrascht geben, doch sie hatte allen Grund dazu. Die großereignishaften Züge einer solchen Aussage brauchten nicht weiter betont zu werden. Lieber so tun, als sei nichts gewesen. Zurück in ihrem Büro, ordnete sie eine Weile die aktuellen, zu ihrer Akte gehörigen Unterlagen, sah nach ihren E-Mails, zog schließlich den Mantel über und ging. Als sie auf den Fahrstuhl zusteuerte, erschrak sie über einen ungeheuerlichen Anblick. Markus und Nathalie schickten sich an, gemeinsam das Haus zu verlassen. Ohne dass die beiden es merkten, näherte sie sich ihnen. Sie glaubte, das Wort «Theater» zu verstehen. Sofort stellte sich ein Gefühl bei ihr ein, das sie kaum beschreiben konnte. Ein beklemmendes Gefühl, ein Widerwille sogar.

62

Man sitzt so eng im Theater. Markus war wirklich unbehaglich zumute. Er bedauerte, so lange Beine zu haben, ein äußerst unergiebiges Bedauern.* Von einem anderen Umstand, der seine Qualen mehrte, ganz zu schweigen: Wenn das Verlangen, eine Frau anzusehen, so groß ist, dass man glaubt, gleich sterben zu müssen, gibt es nichts Schlimmeres, als neben ihr zu sitzen. Das eigentliche Schauspiel fand nicht auf der Bühne, sondern zu seiner Linken statt. Und außerdem, was wurde auf diesen Brettern schon geboten? Es interessierte ihn nicht übermäßig. Zumal es auch noch ein schwedisches Stück war! Hatte sie das extra ausgesucht? Von einem

* Kurze Beine kann man nicht mieten.

Autor, der in Uppsala studiert hatte. Da hätten sie sich genauso von seinen Eltern zum Essen einladen lassen können. Er war zu wenig bei der Sache, um irgendwie der Handlung zu folgen. Sicherlich würden sie sich hinterher darüber unterhalten, und sie würde ihn für einen Schwachkopf halten. Wie hatte er diesen Aspekt vernachlässigen können? Er musste sich unbedingt konzentrieren und sich einige kluge Kommentare zurechtlegen.

Als das Stück zu Ende war, wunderte er sich immerhin darüber, dass er von starken Gefühlen ergriffen war. Vielleicht sogar von Gefühlen schwedischer Dimensionen. Auch Nathalie machte einen glücklichen Eindruck. Doch im Theater ist das schwer einzuschätzen: Zuweilen machen die Leute schlicht und ergreifend deswegen einen glücklichen Eindruck, weil ihr Martyrium endlich ausgestanden ist. Draußen wollte Markus dann die Theorie entfalten, die er im Laufe des dritten Akts ersonnen hatte, doch Nathalie brachte die Diskussion zu einem schnellen Abschluss:

«Ich glaube, wir sollten jetzt versuchen, uns zu entspannen.»

Markus dachte gleich an seine Beine, doch Nathalie präzisierte:

«Wir sollten ein Gläschen trinken gehen.»

Das meinte sie also mit sichentspannen.

63

Dialogpassage aus Fräulein Julie
von August Strindberg,
Französische Fassung von Boris Vian,
dem Stück, das Nathalie und Markus sahen,
als sie das zweite Mal zusammen ausgingen

FRÄULEIN JULIE. Wie – ich soll Ihnen gehorchen?
JEAN. Nur dies eine Mal und in Ihrem eigenen Interesse! Ich bitte Sie! Die Nacht ist vorgerückt, der Schlaf macht trunken, und der Kopf wird heiß!

64

Da geschah etwas Einschneidendes. Eigentlich etwas Unbedeutendes, das jedoch weitreichende Folgen haben sollte. Ihr zweiter Abend verlief haargenau so wie der erste. Der Charme ging zu Werke und steigerte sich gar. Markus meisterte die Situation mit Eleganz. Er lächelte das unschwedischste aller möglichen Lächeln; beinahe etwas in der Art eines spanischen Lächelns. Er flocht ein paar köstliche Anekdoten ein, machte geflissentlich wohldosierte kulturelle wie persönliche Andeutungen und reüssierte beim Übergang vom ganz Privaten zum Allumfassenden. Artig hantierte er mit dem schönen Apparat eines Gesellschaftsmenschen. Doch im Innern dieses Frohsinns kam es plötzlich zu einer Störung, die die ganze Maschine aus der Bahn werfen sollte: Er spürte eine melancholische Anwandlung.

Zu Beginn war es lediglich ein winzig kleiner Fleck, wie ein Hauch von Nostalgie. Nur bei genauerem Hinsehen war der mauvefarbene Anstrich der Melancholie zu erkennen. Und wenn man noch genauer hinsah, stieß man auf das eigentliche Wesen einer gewissen Wehmut. Von einer Sekunde auf die andere, wie von einem krankhaft pathetischen Antrieb erfasst, blickte er der Sinnentleertheit dieses Abends ins Auge. Er ging mit sich zurate: Warum versuche ich gerade, in meinem vollen Glanz zu erstrahlen? Warum versuche ich, diese Frau, die so vollkommen unerreichbar ist, zum Lachen zu bringen, warum versuche ich so hartnäckig, sie zu bezaubern? Die Vergangenheit des verunsicherten Mannes holte ihn brutal ein. Aber das war noch nicht alles. Tragischerweise bestärkte ihn ein zweites einschneidendes Ereignis in dem Entschluss, den Rückzug anzutreten: Er schüttete sein Rotweinglas über die Tischdecke. Er hätte das als nebensächliches Ungeschick werten können. Und vielleicht sogar als liebenswertes Ungeschick: Nathalie war für Ungeschicklichkeit stets empfänglich gewesen. Doch in diesem Augenblick waren seine Gedanken nicht mehr bei ihr. Er sah in diesem unbedeutenden Vorfall ein ganz schlimmes Zeichen: im Auftreten der Farbe Rot. In diesem Rot, das sich unentwegt in sein Leben drängte.

«Macht doch nichts», sagte Nathalie, als sie Markus' bestürzte Miene bemerkte.

Natürlich machte das etwas. Es machte das ganze Drama aus. Das Rot warf ihn auf Brigitte zurück. Auf die Frauen dieser Welt, die ihn von sich wiesen. Ein hämisches Lachen dröhnte in seinen Ohren. Unerfreuliche Bilder stiegen in ihm hoch: er als Kind, das im Schulhof gegängelt wurde, als Rekrut, der scheußliche Mutproben zu bestehen hatte, als Tourist, der übers Ohr gehauen wurde. Das war die Bedeutung des über dem Tischtuch sich ausbreitenden roten Flecks. Er hatte das Gefühl, dass ihn alle beobachteten und hinter seinem Rücken tuschelten. Das Kleid des Charmeurs platzte aus den Nähten. Der paranoide Schiffbruch war durch nichts mehr aufzuhalten. Ein Schiffbruch, an dessen Anfang eine einfache melancholische Grille und der Instinkt, die Vergangenheit als Fluchtpunkt anzupeilen, gestanden hatten. In diesem Moment gab es für ihn keine Gegenwart mehr. Nathalie war nur noch ein Schatten, ein Phantom der Welt der Frauen.

Markus stand auf, und einen Augenblick blieb er unentschieden schweigend stehen. Nathalie sah ihn an und fragte sich, was nun kommen würde. Würde es lustig sein? Würde es schwermütig sein? Schließlich verkündete er in ruhigem Ton:

«Es ist wohl besser, wenn ich jetzt gehe.»

«Warum? Wegen des Weins? Aber … das passiert doch jedem mal.»

«Nein … das ist es nicht … es ist wegen …»

«Weswegen? Langweilen Sie sich mit mir?»

«Aber nein ... natürlich nicht ... nicht mal, wenn Sie tot wären, könnte ich mich mit Ihnen langweilen ...»

«Was ist es dann?»

«Nichts. Es ist bloß, weil Sie mir gefallen. Sie gefallen mir wirklich sehr.»

« ... »

«Und ich habe nur ein Verlangen, Sie wieder zu kussen ... Aber ich kann mir in keiner Sekunde vorstellen, dass ich auch Ihnen gefallen könnte ... deswegen ist es, glaube ich, das Beste, wenn wir uns nicht mehr sehen ... Bestimmt werde ich darunter leiden, aber das ist sicher angenehmer, wenn ich so sagen darf ...»

«Stellen Sie schon die ganze Zeit derartige Überlegungen an?»

«Wie sollte ich es denn anstellen, keine Überlegungen anzustellen? Wie sollte ich es schaffen, Ihnen einfach nur gegenüberzusitzen? Könnten Sie das?»

«Mir gegenübersitzen?»

«Da sehen Sie's, es ist nur Blödsinn, was ich rede. Ich gehe jetzt besser.»

«Ich fänd's besser, wenn Sie blieben.»

«Wozu?»

«Weiß nicht.»

«Was machen Sie da gerade mit mir?»

«Ich weiß nicht. Ich weiß nur, dass ich mich wohlfühle in Ihrer Gesellschaft, Sie gehen einfach so ... aufmerksam und ... zartfühlend mit mir um. Und ich spüre, dass ich das brauche.»

«Und das ist alles?»

«Das ist doch schon ziemlich viel, oder?»

Markus hatte sich nicht wieder hingesetzt. Nun stand Nathalie ebenfalls auf. Eine Weile verharrten sie in dieser Stellung, versteift in Verunsicherung. Einige Köpfe wandten sich in ihre Richtung. Sich nicht weiter zu rühren, nachdem man schon aufgestanden ist, ist ein eher seltenes Phänomen. Es erinnerte ein bisschen an dieses Gemälde von Magritte, auf dem die Männer wie Stalaktiten vom Himmel fallen. Ihre Haltung wies also leichte Spuren belgischer Malerei auf, und damit gaben sie freilich nicht das ermutigendste Bild ab.

65

Markus ließ Nathalie stehen und verließ das Café. Der zur Perfektion getriebene Moment hatte ihn in die Flucht geschlagen. Sie verstand nicht, was ihn bewegte. Es war ein angenehmer Abend gewesen, aber das nahm sie ihm übel. Unwissentlich hatte Markus famos gehandelt. Er hatte Nathalie wachgerüttelt. Hatte sie dahin gebracht, dass sie sich nun Gedanken machte. Dass er sie küssen wolle, hatte er gesagt. Ging es also nur darum? Hatte sie Lust, ihn zu küssen? Nein, eigentlich nicht. Sie fand ihn nicht besonders … Aber darauf kam es ja nicht wirklich an … Warum nicht … Er hatte was … und außerdem war er lustig … Wieso war er denn gegangen? Was für ein Trottel. Er hatte alles verdorben.

Sie war reichlich verärgert … Was für ein Trottel, wirklich, so ein Trottel, sinnierte sie unter den Blicken der Gäste im Café weiter vor sich hin. Eine wunderschöne Frau, sie, wurde von einem Durchschnittstypen einfach stehen gelassen. Von den Blicken, die sie auf sich zog, nahm sie gar keine Notiz. Sie blieb in ihrem Groll reglos stehen, frustriert von einer Situation, die sie überfordert hatte, in der sie es nicht vermocht hatte, ihn entweder zurückzuhalten oder ihm zu folgen. Sie brauchte sich nicht zu grämen, sie hätte nichts ausrichten können. Sie war in seinen Augen eben viel zu begehrenswert, als dass er in ihrer Nähe bleiben konnte.

Als sie zu Hause war, wählte sie seine Nummer, legte allerdings, noch bevor es klingelte, wieder auf. Es wäre ihr lieber gewesen, er hätte angerufen. Schließlich hatte sie ja schon die Initiative zur zweiten Verabredung ergriffen. Zumindest hätte er ihr danken können. Und eine SMS schicken. So saß sie vor dem Telefon und wartete, und es war das erste Mal seit sehr langer Zeit, dass sie das erleben durfte: zu warten. Sie konnte nicht schlafen, schenkte sich ein wenig Wein ein. Und stellte Musik an: Alain Souchon. Ein Lied, das sie gern mit François gehört hatte. Sie glaubte es kaum, aber sie war imstande, sich das anzuhören, einfach so, ohne einen Zusammenbruch zu erleiden. Sie zog weiter in ihrem Wohnzimmer ihre Kreise, tanzte sogar ein wenig und sog mit der Entschlossenheit eines Versprechens die Trunkenheit in sich auf.

66

Der erste Teil von L'amour en fuite,
dem Lied von Alain Souchon,
das Nathalie nach ihrer zweiten Verabredung mit
*Markus hörte**

Caresses photographiées sur ma peau sensible.
On peut tout jeter les instants, les photos, c'est libre.
Y a toujours le papier collant transparent
Pour remettre au carré tous ces tourments.

On était belle image, les amoureux fortiches.
On a monté le ménage, le bonheur à deux je t'en fiche.
Vite fait les morceaux de verre qui coupent et ça saigne.
La v'là sur le carrelage, la porcelaine.

Nous, nous, on a pas tenu le coup.
Bou, bou, ça coule sur ta joue.
On se quitte et y a rien qu'on explique.
C'est l'amour en fuite,
L'amour en fuite.**

* http://www.youtube.com/watch?v=T5fBz5TvRig

67

In einem seltsamen Hochgefühl war Markus am Abgrund entlanggewandelt. Als er an jenem Abend nach Hause gekommen war, hatten ihn weitere qualvolle Bilder heimgesucht. Hing das vielleicht alles mit Strindberg zusammen? Sich den Ängsten seiner Landsleute auszusetzen, war sicherlich etwas, das es zu vermeiden galt. Die Schönheit des Augenblicks, Nathalies Schönheit, all das war ihm als erreichbares Ufer erschienen: als Ufer des Untergangs. Wie eine Vorhut des Dramas hatte die Schönheit vor ihm gestanden und ihm tief in die Augen geschaut. Das ist auch das Problem in *Tod in Venedig*, aus dem sich folgende Lehre ziehen lässt: Wer sich dem

** Auf meiner zarten Haut die photographierte Wonne.
Momente, Bilder, alles kann ab in die Tonne.
Es gibt ja noch durchsichtiges Klebeband.
Damit setzt man das Elend gleich wieder instand.

Wir warn ein schönes Bild, die tapferen Verliebten.
Haushaltsgründung, ein Glück zu zweien, das wir versiebten.
Geritzt, der Scherbenhaufen, und es floss Blut.
Das Porzellan am Boden, da liegt es gut.

Buh, buh, welch eine Pleite.
Buh, buh, dir läuft's runter an der Seite.
Es ist vorbei, warum ist nicht wichtig.
Liebe ist flüchtig,
Sie ist auf der Flucht.

Anblick der Schönheit hingibt, ist dem Tode geweiht. Markus konnte also tatsächlich große Reden schwingen. Nur dumm, dass er davor davongelaufen war. Doch nur wer Jahre in vollkommener Ödnis gelebt hat, kann verstehen, wie erschreckend es sein kann, wenn sich plötzlich eine Möglichkeit auftut.

Er hatte sie nicht angerufen. Nachdem sie das Osteuropäische ja so an ihm gemocht hatte, musste sie nun erstaunt beobachten, wie er feierlich wieder in Schweden einzog. Kein Fünkchen Polen war mehr in ihm vorhanden. Markus hatte beschlossen, sich zu verschließen, *nicht mehr mit dem Feuer der Frauen zu spielen*. Ja, solche Formulierungen gingen ihm durch den Kopf. Und der erste Beschluss, den er fasste, war: Er würde ihr nicht mehr in die Augen schauen.

Als Nathalie am nächsten Morgen ins Büro kam, begegnete ihr Chloé. Gestehen wir es gleich, Letztere war ebenfalls eine Adeptin des fingierten Zufalls. Es kam vor, dass sie die Gänge auf und ab ging, nur um ihrer Vorgesetzten in die Arme zu laufen.* Sie war eine richtige Klatschbase, die allerdings nichts von der Eleganz eines Igels hatte und die sich nun anschickte, Nathalie ein paar Geheimnisse zu entlocken:

«Ach Nathalie, *bonjour.* Geht's Ihnen gut?»

«Jaja. Ich bin bloß ein wenig müde.»

* Es ist eine legitime Frage, ob es den Zufall überhaupt gibt. Vielleicht halten sich die Menschen, denen wir begegnen, ja ständig in unserem Dunstkreis auf, weil sie immer hoffen, uns zu treffen? Wenn man mal darüber nachdenkt: Stimmt, sie sind oft ganz außer Atem.

«Wegen des Stücks gestern Abend? Hat's lange gedauert?»

«Nein, nicht übermäßig …»

Chloé spürte, dass es schwer werden würde, mehr aus ihr herauszubekommen, doch eine Begebenheit sollte die Dinge einfacher machen. Markus kam auf sie zu, und auch er schien sich in einem merkwürdigen Zustand zu befinden. Die junge Frau richtete es so ein, dass er stehen blieb:

«Ach Markus, *bonjour*. Wie geht's?»

«Ja, ganz gut … und dir?»

«Geht so.»

Er wich beim Sprechen dem Blick der anderen aus. Was einen sehr befremdlichen Eindruck erweckte, als hätte man es mit jemandem zu tun, der in Eile ist. Befremdlich deshalb, weil es nämlich gar nicht so schien, als wäre er in Eile.

«Na? Hast du was im Nacken?»

«Nein … nein … der Nacken ist okay … Na ja, ich muss weiter.»

Er ging weiter, und die beiden Frauen blieben verblüfft zurück. Chloé dachte sofort: «Er ist schrecklich verlegen … Sie müssen miteinander geschlafen haben … das ist die einzig mögliche Erklärung … Aus welchem anderen Grund sollte er ihr keine Beachtung schenken?» Sie zeigte demzufolge Nathalie ein breites Lächeln:

«Darf ich Sie was fragen? Sie waren gestern doch mit Markus im Theater?»

«Das geht Sie nichts an.»

«Na ausgezeichnet … Ich dachte bloß, Sie und ich, wir würden Anteil am Leben des anderen nehmen. Ich erzähle Ihnen doch auch alles.»

«Aber ich brauche Ihnen nichts zu erzählen. Also gehen Sie lieber wieder an Ihre Arbeit.»

Nathalie war sehr schroff gewesen. Dass Chloé sich angemaßt hatte, sich in ihre Angelegenheiten zu mischen, gefiel ihr gar nicht. In ihrem Blick war deutlich die fieberhafte Suche eines Tratschweibs zu lesen gewesen. Chloé stammelte kleinlaut, dass sie anlässlich ihres morgigen Geburtstags einen Umtrunk veranstaltete. Nathalie deutete eine Kopfbewegung an, die sich als Nicken auslegen ließ. Aber sie war sich nicht mehr sicher, ob sie dort hingehen wollte.

Später, als sie in ihrem Arbeitszimmer saß, sollte Nathalie sich über Chloés mangelndes Taktgefühl noch einmal Gedanken machen. Über Monate hinweg hatte Nathalie damit leben müssen, dass über sie gemunkelt wurde. Dass sie unauffällig beobachtet wurde, um festzustellen, ob sie auch nicht schlappmachte, was sie überhaupt trieb und wie sehr sie sich in die Arbeit stürzte. Diese gewiss herzensgut gemeinte Bespitzelung hatte auf ihr gelastet wie ein Gewicht. Sie wollte damals nicht angesehen werden. Die ständigen Zuneigungsbekundungen hatten ihr die Sache komischerweise nicht einfacher gemacht. Die Erinnerung an diese Zeit, in der sie so im Blickpunkt gestanden hatte, schmeckte bitter. Als sie nun noch einmal darüber nachdachte, wie Chloé sich verhalten hatte, wurde ihr klar, dass sie diskret bleiben musste und ihre Geschichte mit Markus mit keiner Silbe erwähnen durfte. Aber war das eine Geschichte? Durch François' Tod hatte sie sämtliche Bezüge verloren. Sie hatte das Gefühl, zurück in ihre Jugend versetzt worden zu sein. Alles, was sie über die

Liebe gewusst hatte, war vernichtet worden. Ihr Herz stand auf Ruinen. Auf Markus' Verhalten und die Tatsache, dass er sie nicht mehr ansah, konnte sie sich keinen Reim machen. Das war wirklich ein Theater. Es sei denn, er hatte einen Knall. Ein leichter Anflug von Wahnsinn erschien ihr mehr als wahrscheinlich. Sie dachte nicht etwa: Um eine Frau nicht sehen zu wollen, muss man sie wahrhaft lieben. Nein, auf diesen Gedanken kam sie nicht. Sie war schlicht und ergreifend verwirrt.

68

Drei Gerüchte bezüglich Björn Andrésen, des Schauspielers, der in Luchino Viscontis Film Tod in Venedig *die Rolle des Tadzio spielte**

Er hat in New York einen schwulen Schauspieler umgebracht.

Er ist bei einem Flugzeugabsturz über Mexiko ums Leben gekommen.

Er hat nach Abschluss der Dreharbeiten nur noch grünen Salat gegessen.

* Anmerkung des Übersetzers: Björn Andrésen ist übrigens Schwede.

69

Markus war nicht nach Arbeiten zumute. Ins Leere starrend, stand er am Fenster. Er war noch immer von Nostalgie erfüllt, um es genauer zu sagen: von einer törichten Nostalgie. Von der Vorstellung, dass unsere dunkle Vergangenheit trotz allem über einen gewissen Charme verfügt. Seine Kindheit, so armselig sie auch gewesen sein mag, erschien ihm in diesem Augenblick als der Born des Lebens. Einzelne Momente kamen ihm in den Sinn, denen immer etwas Schwülstiges angehaftet hatte und die ihm nun ergreifend vorkamen. Überall war er bereit, Zuflucht zu suchen, Hauptsache, er entkam der Gegenwart. Indes hatte ihn in den vergangenen Tagen eine Art romantischer Traum eingeholt, in dem er eine schöne Frau ins Theater ausführte. Woher kam dieses starke Bedürfnis, seinen Entschluss wieder rückgängig zu machen? Zweifellos gab es einen einfachen Grund dafür, der sich wie folgt bestimmen lässt: *die Angst vor dem Glück*. Es heißt, dass man im Augenblick des Todes noch einmal die schönsten Bilder seines Lebens an sich vorüberziehen sieht. Insofern klingt es einleuchtend, dass in dem Moment, in dem das Glück mit einem beinahe besorgniserregenden Lächeln auf den Lippen vor einem steht, noch einmal die Untergänge und Pleiten der Vergangenheit an einem vorüberziehen.

Nathalie hatte ihn gebeten, in ihr Büro zu kommen, und er hatte Nein gesagt.

«Ich will mich gern mit Ihnen treffen, aber lieber am Telefon», waren seine Worte.

«Mich am Telefon treffen? Sind Sie sicher, dass Sie noch alle Tassen im Schrank haben?»

«Ja, vielen Dank. Ich will Sie bloß bitten, mir ein paar Tage nicht unter die Augen zu treten. Das ist das Einzige, worum ich Sie bitte.»

Sie war zunehmend konsterniert. Und dennoch fühlte sie sich zeitweilig immer noch angezogen von so viel Absonderlichkeit. Das Feld der offenen Fragen war weit. Sie überlegte, ob hinter seiner Haltung nicht doch so etwas wie Kalkül steckte. Oder eine moderne Form eines in der Liebe aufgekommenen Humors? Freilich irrte sie sich. Markus hatte sich mit einer erschreckenden Witzlosigkeit getarnt.

Am Ende des Tages beschloss sie, seinen Empfehlungen nicht weiter zu folgen, und trat in sein Büro. Er wandte auf der Stelle seinen Blick ab.

«Sie haben wohl nicht mehr alle Tassen im Schrank! Außerdem kommen Sie herein, ohne zu klopfen.»

«Weil ich will, dass Sie mich ansehen.»

«Ich will aber nicht.»

«Ist das immer so Ihre Art? Das wird doch wohl nicht an dem Rotweinglas liegen?»

«In gewisser Weise doch.»

«Sie machen das mit Absicht. Um mir Rätsel aufzugeben, stimmt's? Ich muss sagen, der Trick funktioniert.»

«Nathalie, ich versichere Ihnen, es gibt nichts zu verstehen außer dem, was ich Ihnen schon gesagt habe. Ich will mich schützen, sonst nichts. Das ist nicht schwer zu begreifen.»

«In der Pose werden Sie sich noch den Nacken verdrehen.»

«Ich hab's lieber am Nacken als am Herzen.»

Nach diesem letzten Satz, der ihr wie eine Redensart, ein Sprichwort oder wie ein einziges langes Wort (lieberamnackenalsamherzen) vorgekommen war, stand sie einen Moment unentschlossen im Raum herum. Dann holte sie Luft:

«Und wenn ich aber will, dass wir uns sehen? Und wenn ich aber will, dass wir Zeit zusammen verbringen? Und wenn ich mich nun in Ihrer Gesellschaft wohlfühle? Was muss ich tun?»

«Das ist unmöglich. Das wird immer unmöglich sein. Gehen Sie lieber.»

Nathalie wusste nicht, was sie machen sollte. Sollte sie ihn küssen, ihn schlagen, feuern, keines Blickes mehr würdigen, beleidigen, anflehen? Schließlich drehte sie den Türgriff herum und ging.

70

Nach getaner Arbeit feierte Chloé am darauffolgenden Tag ihren Geburtstag. Die Vorstellung, dass ihn jemand vergessen könnte, war ihr unerträglich. In ein paar Jahren würde das sicher gerade umgekehrt sein. Ihren Tatendrang, ihren Eifer, düstere Sphären zum Leuchten zu bringen und die anwesende Belegschaft in eine künstliche gute Laune zu versetzen, musste man zu schätzen wissen. Es waren so gut wie alle auf diesem Stockwerk beschäftigten Personen zugegen, und Chloé war umringt von ihnen und trank ein Glas Champagner. Und wartete auf ihre Geschenke. Der ins Lächerliche übersteigerte Ausdruck ihres Narzissmus hatte etwas Anrührendes, etwas beinah Betörendes.

Der Raum war nicht besonders groß; Markus und Nathalie strengten sich dennoch an, so weit wie irgendwie möglich voneinander entfernt zu stehen. Am Ende hatte sie seiner Bitte stattgegeben und bemühte sich mehr schlecht als recht, sich außerhalb seines Gesichtsfelds zu halten. Chloé, die das niedliche Theater beobachtete, ließ sich nicht täuschen. «Ihre Art, nicht miteinander zu reden, spricht Bände», dachte sie. Welch Scharfsinn. Nun gut, sie wollte sich jetzt nicht zu sehr mit dieser Geschichte beschäftigen; ihr Geburtstagsumtrunk musste ein Erfolg werden, das war mit

Abstand das Wichtigste. Das vollzählige Personal, die Benoîts und Bénédictes, stand träge herum, in Anzug und Kostüm, das Glas in der Hand, und übte sich in der Kunst der Geselligkeit. Markus beobachtete die leichte Angespanntheit bei jedem Einzelnen und fand dieses kollektive Treiben grotesk. Doch das Groteske hatte für ihn ein zutiefst menschliches Gesicht. Er wollte auch daran teilhaben. Und hatte sich gedacht, das alles musste Hand und Fuß haben. Deswegen hatte er am Spätnachmittag telefoniert und einen Strauß weißer Rosen bestellt. Einen riesigen Strauß, der in überhaupt keinem Verhältnis zu seinem Verhältnis zu Chloé stand. Eine Art Bedürfnis, sich an etwas Weißes zu klammern. An eine weiße Gewalt. Die den durch das Rot angerichteten Schaden behebt. Als die junge Frau, die die Blumen brachte, sich am Empfang meldete, ging Markus nach unten. Ein wunderliches Bild: In einer nüchternen und seelenlosen Eingangshalle nimmt Markus einen riesigen Strauß entgegen.

So ging er hinter diesem ehrwürdigen weißen Haufen auf Chloé zu. Sie sah ihn kommen und fragte:

«Ist der für mich?»

«Ja. Alles Gute zum Geburtstag, Chloé.»

Sie schaute betreten drein. Instinktiv drehte sie ihren Kopf in Richtung Nathalie. Chloé hatte keine Ahnung, was sie zu Markus sagen sollte. Zwischen ihnen bildete sich ein weißes Schweigen: ein weißes Quadrat auf weißem Grund. Alle schauten die beiden an. Das heißt das, was von ihren Gesichtern zu erkennen war, die Fragmente, die durch das

Weiß hindurchschienen. Chloé spürte, dass sie etwas sagen musste, aber was? Endlich:

«Das wär nicht nötig gewesen. Das ist zu viel des Guten.»

«Ja, zweifellos. Aber mir war so nach was Weißem.»

Der nächste Mitarbeiter trat mit seinem Geschenk vor, und Markus nutzte die Gelegenheit, um die Kurve zu kratzen.

Von Weitem hatte Nathalie die Szene verfolgt. Sie hatte Markus' Prinzipien akzeptieren wollen, doch nachdem sie von dem Schauspiel, das sie hatte mit ansehen müssen, furchtbar peinlich berührt war, beschloss sie, ihn zur Rede zu stellen.

«Warum haben Sie ihr diesen riesigen Rosenstrauß geschenkt?»

«Ich weiß es nicht.»

«Hören Sie ... Ihr autistisches Gehabe hängt mir langsam zum Halse raus ... Sie wollen mich nicht anschauen ... Sie wollen sich nicht erklären.»

«Ich versichere Ihnen, ich weiß es nicht. Mich beschämt die Sache doch am meisten. Ich habe schon gemerkt, dass der Strauß überproportioniert ist. Aber da kann man jetzt auch nichts mehr machen. Als ich ihn bestellt habe, habe ich bloß gesagt, bitte einen riesigen Strauß weißer Rosen.»

«Sind Sie verliebt in sie, oder wie?»

«Sind Sie eifersüchtig, oder was?»

«Ich bin nicht eifersüchtig. Aber ich beginne mich zu fragen, ob unter dem Deckmantel des depressiven Kavaliers, der sich aus dem fernen Schweden herabgelassen hat, nicht ein großer Verführer steckt.»

«Und Sie … sind in Wirklichkeit eine Expertin für die Seelenlagen des Mannes, so viel steht fest.»

«Das ist doch eine lächerliche Unterhaltung.»

«Lächerlich ist, dass ich auch ein Geschenk für Sie besorgt … und es Ihnen nicht gegeben habe.»

Sie schauten sich an. Und Markus dachte: Wie konnte ich glauben, ich könnte sie nicht mehr ansehen? Er lächelte sie an, und sie beantwortete sein Lächeln mit einem Lächeln. Ein regelrechter Walzer des Lächelns begann. Schon seltsam, wie man manchmal Entscheidungen trifft, wie man sich vorsagt, von nun an wird alles so und so sein, und dann genügt eine leise Lippenbewegung, und schon ist die für die Ewigkeit gedachte Gewissheit dahin. Markus' Vorsätze fielen gerade im Angesicht der Tatsachen in sich zusammen, der Tatsache von Nathalies Gesicht. Ein müde wirkendes, von einem Schleier der Verständnislosigkeit bedecktes Gesicht, aber immer noch Nathalies Gesicht. Wortlos und unbemerkt kehrten sie der Feier den Rücken, um sich in Markus' Büro einzufinden.

71

Das Zimmer war klein. Die Erleichterung, die sich zwischen ihnen breitmachte, reichte aus, um den Raum zu füllen. Sie genossen es, allein zu sein. Markus sah Nathalie an, und die Verunsicherung, die er in ihren Augen las, wühlte ihn auf.

«Also, was ist jetzt mit diesem Geschenk?», fragte sie.

«Ich gebe es Ihnen, aber Sie müssen versprechen, dass Sie es nicht öffnen werden, bevor Sie zu Hause sind.»

«Einverstanden.»

Markus hielt ihr ein kleines Päckchen hin, und Nathalie steckte es in ihre Tasche. Sie blieben einen Augenblick so stehen, *einen Augenblick, der unvermindert fortdauert.* Markus fühlte sich nicht verpflichtet, etwas zu sagen, die Leerstellen aufzufüllen. Sie waren gelöst und glücklich, dass sie wieder zusammen waren. Nach einer Weile meinte Nathalie:

«Vielleicht sollten wir wieder zu den anderen gehen. Das macht sonst einen komischen Eindruck.»

«Sie haben recht.»

Sie verließen das Büro und schritten die Gänge entlang. Als sie den Ort der Feierlichkeiten erreichten, gab es eine Überraschung: Keiner mehr da. Der Umtrunk war beendet, die Spuren beseitigt. Sie überlegten: Wie lange hatten sie sich in dem Büro aufgehalten?

Zu Hause auf dem Sofa machte Nathalie das Päckchen auf. Es war eine PEZ-Box. Sie konnte es kaum fassen, die gab es in Frankreich nämlich gar nicht zu kaufen. Tief berührt von dieser Geste, streifte sie erneut ihren Mantel über und ging aus dem Haus. Mit einer Armbewegung (eine Geste, die ihr plötzlich ganz selbstverständlich erschien) hielt sie ein Taxi an.

72

Der Wikipedia-Artikel über PEZ (Marke)

Der Name PEZ ist aus dem ersten, mittleren und letzten Buchstaben des Wortes Pfefferminz abgeleitet. Die Pfefferminze gilt als die erste Heil- und Gewürzpflanze, mit der Handel getrieben wurde. PEZ stammt aus Österreich und wird in die ganze Welt exportiert. Ein Charakteristikum der Marke ist der PEZ-Spender. Die verschiedenen PEZ-Figuren sind mittlerweile zu einem beliebten Sammelobjekt geworden.

73

Als sie vor der Tür stand, zögerte sie einen Moment. Es war schon so spät. Aber da sie den Weg bis hierher gemacht hatte, wäre es absurd gewesen, nun umzukehren. Sie klingelte ein erstes, dann ein zweites Mal. Nichts geschah. Sie versuchte es mit Klopfen. Nach einer Weile hörte sie drinnen Schritte.

«Wer ist da?», fragte eine verängstigte Stimme.

«Ich bin's», gab sie zurück.

Die Tür ging auf, und Nathalie bot sich ein irritierender Anblick. Da stand ihr Vater mit wirrem Haar und verschreckten Augen. Er wirkte mitgenommen und ein bisschen so, als wäre ihm etwas gestohlen worden. Letztendlich traf das ja zu: Man hatte ihm soeben den Schlaf geraubt.

«Aber was machst du denn hier? Ist irgendwas passiert?»

«Nein ... nichts ... ich wollte dich sprechen.»

«Um diese Uhrzeit?»

«Ja, es ist wichtig.»

Nathalie betrat die Wohnung ihrer Eltern.

«Deine Mutter schläft, du kennst sie ja. Kein Weltuntergang könnte sie aus dem Schlaf reißen.»

«Ich dachte mir schon, dass du derjenige sein wirst, der aufsteht.»

«Möchtest du was trinken? Einen Tee?»

Nathalie nickte, und ihr Vater verschwand in der Küche. Ihrer Beziehung war etwas Tröstendes zu eigen. Nachdem der erste Schock verdaut war, hatte der Vater seine Ruhe wiedergefunden. Es war zu spüren, dass er die Sache in die Hand nehmen würde. Und dennoch, Nathalie kam in dieser nächtlichen Stunde der flüchtige Gedanke, dass er gealtert war. Sie hatte es eben an der Art gemerkt, wie er sich schlurfend in seinen Pantoffeln fortbewegte. Sie hatte sich gedacht: Bevor er nachschauen geht, was überhaupt los ist, nimmt sich dieser Mensch, der mitten in der Nacht geweckt worden ist, die Zeit, seine Pantoffeln anzuziehen. Diese Achtsamkeit in Bezug auf seine Füße war ergreifend. Er kam zurück ins Wohnzimmer.

«Also, was gibt's? Was nicht warten kann?»

«Ich wollte dir das hier zeigen.»

Sie holte also die PEZ-Figur aus ihrer Tasche, und der Vater wurde auf der Stelle von denselben Gefühlen wie die Tochter überwältigt. Dieses kleine Dingsda brachte beiden den gleichen Sommer in Erinnerung. Mit einem Mal war seine Tochter wieder acht Jahre alt. Da näherte sie sich sachte dem Vater und legte ihren Kopf an seine Schulter. Diese PEZ-Figur verkörperte ihre einstige Innigkeit, aber auch alles, was nicht durch radikale Brüche, sondern eher unmerklich mit der Zeit auf der Strecke geblieben war. Diese PEZ-Figur stand für die Zeit vor dem Verhängnis, für eine Zeit, in der das Unglück mit einem Fallen, einer Schramme abgetan war. Diese PEZ-Figur stand für ein Bild des Vaters, für den Mann, auf den sie als Kind freudig zugelaufen kam, dem sie sich in die Arme warf, an den sie sich fest drückte und dabei mit unermesslicher Zuversicht in die Zukunft blickte. Verblüfft betrachteten sie die Figur, dieses mickrige belanglose Objekt, das doch alle Schattierungen des Lebens in sich trug und so herzzerreißend war.

Da begann Nathalie zu weinen. Richtig zu weinen. Die vor dem Vater stets zurückgehaltenen Tränen. Sie wusste nicht, warum sie sich in seiner Gegenwart immer beherrscht hatte. Vielleicht weil sie ein Einzelkind war? Weil sie deswegen auch die Rolle des Jungen hatte spielen müssen? Des Jungen, der nicht weint. Dabei war sie doch ein kleines Mädchen, ein Mädchen, das um ihren Mann gebracht worden war. So begann sie nach all dieser Zeit, unter dem Schleier der sich verflüchtigenden Aura des PEZ, in den Armen des Vaters zu weinen. Sich treiben zu lassen in einer Hoffnung auf Trost.

74

Als Nathalie am nächsten Tag in die Arbeit kam, fühlte sie sich leicht kränklich. Am Ende hatte sie bei ihren Eltern übernachtet. Sie war bei Tagesanbruch, noch bevor die Mutter aufgewacht war, kurz bei sich zu Hause gewesen. Wie damals nach den durchfeierten Nächten ihrer Jugend, als sie es bis zum Morgengrauen krachen ließ, sich dann umzog, um gleich weiter an die Uni zu fahren. Das Widersinnige an diesem körperlichen Zustand, stellte sie fest, war dies: Die Erschöpfung machte einen munter. Sie stattete Markus einen Besuch ab und nahm überrascht zur Kenntnis, dass er genau das gleiche Gesicht machte wie am Vortag. Eine Art heimliche Macht des immer Gleichen. Ein tröstlicher, ja erleichternder Gedanke.

«Ich wollte mich bei Ihnen bedanken … für das Geschenk.»

«Keine Ursache.»

«Darf ich Sie heute Abend auf einen Drink einladen?»

Markus schüttelte den Kopf und dachte: «Ich bin derjenige, der verliebt ist, aber die Initiative zu unseren Verabredungen ergreift immer sie.» Er dachte vor allem, dass er keine Angst zu haben brauchte, dass es lächerlich gewesen war, sich so zurückzuziehen, sich schützen zu wollen. Dass man niemals versuchen sollte, sich ein potenzielles Leid zu ersparen.

Wieder einmal überlegte er und überlegte und antwortete ihr sogar, wo sie doch seit ein paar Minuten schon wieder weg war. Er überlegte weiter, das alles könne ihm nur Schmerz und Enttäuschung einbringen, ihn zu dem totesten Punkt führen, den ein Gefühlsleben nur erreichen konnte. Nichtsdestotrotz hatte er Lust, sich mit ihr zu treffen. Er hatte Lust, zu einer Reise mit unbekanntem Ziel aufzubrechen. Es würde kein Drama geben. Zwischen der Insel des Elends, auch die Insel der Versäumnisse genannt, und der in weiterer Ferne liegenden Insel der Hoffnung verkehrte eine Fähre, das wusste er.

Nathalie hatte gleich ein Café als Treffpunkt vorgeschlagen. Nachdem sie den Geburtstagsumtrunk tags zuvor ja fluchtartig verlassen hatten, erschien etwas mehr Unauffälligkeit angebracht. Außerdem dröhnten ihr immer noch Chloés Fragen im Ohr. Für ihn ging das in Ordnung, auch wenn er theoretisch imstande gewesen wäre, jedes Mal eine Pressekonferenz anzuberaumen, um ein weiteres Rendezvous mit Nathalie zu verkünden. Er war als Erster da und entschied sich für einen Platz, der weithin gut sichtbar lag. Ein strategisch gewählter Platz, damit niemandem die Szene der Ankunft der schönen Frau entgehen konnte, mit der er verabredet war. Ein wichtiger, keinesfalls als trivial zu bewertender Schritt. Ein Schritt, der garantiert nicht unter die Rubrik männliche Eitelkeit fiel. Er fiel unter etwas anderes, etwas viel Bedeutenderes: Es war ein erster Akt des Sich-selbst-Annehmens.

Zum ersten Mal seit Langem hatte er vergessen, sich morgens von zu Hause ein Buch mitzunehmen. Nathalie hatte angekündigt, sie werde so schnell wie möglich kommen, aber es könne sein, dass er ein wenig warten müsse. Markus stand auf, holte sich eine Gratiszeitschrift und vertiefte sich ins Lesen. Ziemlich rasch stieß er auf eine fesselnde Geschichte. Er war ganz in die Lokalnachrichten versunken, als Nathalie auftauchte.

«Na, wie geht's? Stör ich Sie?»

«Nein, natürlich nicht.»

«Sie machen einen so konzentrierten Eindruck.»

«Ach, ich habe nur einen Artikel gelesen ... über ein geplatztes Mozzarella-Geschäft.»

Daraufhin brach Nathalie in Gelächter aus, in ein so schallendes Gelächter, wie man es nur bei Übermüdung anstimmt. Sie konnte gar nicht mehr aufhören. Markus musste zugeben, dass man das als lustig empfinden mochte, und begann seinerseits zu lachen. Beide überkam die Albernheit. Er hatte spontan geantwortet, ohne lang nachzudenken. Und jetzt lachte sie und hörte nicht mehr auf. Für Markus ein vollkommen verrückter Anblick. Es war, als säße ihm ein Fisch mit Beinen gegenüber (jeder hat so seine Metaphern). Jahrelang hatte er sie in Hunderten von Besprechungen als gewissenhafte Frau erlebt, zart, aber gewissenhaft, genau. Natürlich hatte er sie auch lächeln sehen, er hatte sie ja sogar schon zum Lachen gebracht, aber nicht so. Dass sie mit einer derartigen Inbrunst lachte, hörte er zum ersten Mal. Aus Nathalies Sicht war alles Wichtige vorhanden: Dieser Moment führte ihr klar vor Augen, warum sie so gern mit Markus zusammen war: Mit einem Mann, der im Café saß, sie mit einem breiten Lächeln empfing und dann mit ernster Miene verkündete, er lese einen Artikel über ein geplatztes Mozzarella-Geschäft.

75

Der in der Zeitschrift Métro erschienene Artikel mit dem Titel «Ein geplatztes Mozzarella-Geschäft»

«Bei der Zerschlagung illegaler Mozzarella-Geschäfte sind gestern sowie vorgestern in Bondoufle (Département Essonne) fünf Personen vorläufig festgenommen worden. Wie Pierre Chuchkoff, der die von der Gendarmerie Évry aufgenommenen Ermittlungen leitet, mitteilte, wurden in den vergangenen zwei Jahren zwischen 60 und 70 Paletten, also 30 Tonnen ausgesprochen hochwertigen Mozzarellas eingelagert und in der umliegenden Gegend bis nach Villejuif (Département Val-de-Marne) weiterverkauft. Der Schaden beläuft sich schätzungsweise auf 280 000 Euro, es handelt sich also um kein Kavaliersdelikt. Die Ermittlungen, die nun zur Überführung der Mozzarella-Bande führten und die sich vor allem gegen zwei Pizzeria-Betreiber richten, waren im Juni 2008 eingeleitet worden, als die Transportunternehmensgruppe STEF Strafanzeige gestellt hatte. Eine der besagten Pizzerien befindet sich in Palaiseau, wo vermutlich auch die Drahtzieher des Geschäfts sitzen. Ungeklärt ist noch, wer der Anführer der Bande ist und wo die mit dem Mozzarella gemachte Beute abgeblieben ist.

V. M.»

76

In einer Liebesgeschichte spielt der Alkohol in zwei ungleichartigen Situationen eine Rolle: Zum einen, wenn man den anderen kennenlernt und etwas von sich preisgeben muss, und zum anderen, wenn man sich nichts mehr zu sagen hat. In diesem Fall handelt es sich um die erste Situation. Die Situation, in der man nicht merkt, wie die Zeit vergeht und in der manches Ereignis, das heißt vor allem die Kussszene, in einem neuen Licht erstrahlt. Nathalie hatte geglaubt, eine zufällige Regung habe ihr diesen Kuss aufgetragen. Stimmte das vielleicht nicht? Gab es gar keinen Zufall? Lag dies alles auf einem Weg, den eine unbewusste Intuition sich bahnte? Ihr Gefühl, dass die Gesellschaft dieses Mannes ihr guttun würde. Dieses Gefühl, das sie glücklich machte, dann schwermütig, dann wieder glücklich. Ununterbrochen ging die Reise zwischen Froh- und Trübsinn hin und her. Und nun führte sie die Reise ins Freie. Hinaus in die Kälte. Nathalie spürte, dass ihr das nicht guttat. Durch das Hin und Her der vergangenen Nacht hatte sie sich erkältet. Wo konnten sie jetzt hin? Es zeichnete sich einer dieser langen Spaziergänge ab, die man macht, wenn man sich nicht traut, miteinander nach Hause zu gehen, aber auf gar keinen Fall auseinandergehen will. Ein Gefühl der Zaghaftigkeit setzt sich fest. Und nachts kommt es noch stärker zur Geltung.

«Darf ich Sie küssen?», fragte er.

«Ich weiß nicht so recht ... ich bin ein bisschen erkältet.»

«Macht nichts. Ich bin bereit, mir ein paar Bazillen einzufangen. Darf ich Sie küssen?»

Nathalie war überaus angetan davon, dass er vorher fragte. Das war eine Form von Takt. Jeder Augenblick mit diesem Mann brach aus dem Gewöhnlichen aus. Wie hätte sie nach dem, was sie hinter sich hatte, daran glauben können, je wieder ein solches Entzücken zu empfinden? Markus war einzigartig.

Mit einem Nicken willigte sie ein.

77

Dialogpassage aus dem Woody-Allen-Film Celebrity, *die Markus zu seiner Erwiderung inspirierte*

CHARLIZE THERON. Du hast doch nicht etwa Angst, dir Bazillen einzufangen? ‹Na ja, wenn ich jetzt 'ne Erkältung kriege›, und so was.

KENNETH BRANAGH. Bei dir wär ich bereit, mich mit multiplem Krebs anzustecken.

78

So außergewöhnlich ein Abend auch sein mag, so unvergesslich eine Nacht, am Ende steht doch immer ein Morgen wie jeder andere. Nathalie fuhr mit dem Fahrstuhl zur Arbeit nach oben. Da es ihr zuwider war, mit Leuten auf engem Raum zu stehen, lächeln zu müssen und Höflichkeiten auszutauschen, wartete sie, bis der Lift leer war. So genoss sie den kurzen Moment, in dem sie in diesem Käfig, der uns zu Ameisen im Tunnel macht, ihren täglichen Pflichten entgegenrauschte. Beim Aussteigen stieß sie mit ihrem Chef zusammen. Im buchstäblichen Sinne des Wortes: Sie prallten richtig gegeneinander.

«Erstaunlich … gerade hab ich mir gedacht, dass wir uns zur Zeit wenig sehen … und schwuppdiwupp, schon treffe ich dich! Wenn ich gewusst hätte, dass ich mit solchen Mächten gesegnet bin, hätte ich noch andere Wünsche ausgesprochen …»

«Sehr gewitzt.»

«Nein, im Ernst, ich muss mit dir reden. Kannst du mal eben zu mir ins Büro kommen?»

In jüngster Vergangenheit hatte Nathalie beinahe vergessen, dass es Charles auch noch gab. Er war so etwas wie eine alte Telefonnummer, ein Glied, das von der modernen Zeit abgehängt worden war. Er gehörte ins Rohrpostzeitalter. Sie fand es seltsam, dass sie sich jetzt wieder in sein Arbeitszimmer bemühen sollte. Seit wann war sie nicht mehr dort gewesen? Sie wusste es nicht genau. Die Konturen des Gewesenen begannen zu verschwimmen, sich in Gedanken aufzulösen, sich unter den Malen des Vergessens zu verbergen. Und damit hatte sie den glücklichen Beweis dafür, dass das Hier und Jetzt an seine Stelle trat. Sie ließ den Vormittag verstreichen, dann machte sie sich auf.

79

Typische Telefonnummern aus einer anderen Zeit

Odéon 32-40

Passy 22-12

Clichy 12-14

80

Nathalie betrat Charles' Arbeitszimmer. Ihr fiel gleich auf, dass die Jalousien tiefer nach unten gezogen waren als sonst, als unternähme er den Versuch, das Tageslicht in Dunkelheit zu tauchen.

«Es ist echt schon lange her, dass ich das letzte Mal hier gewesen bin», bemerkte sie im Gehen.

«Ja, lang ist's her ...»

«Wirst im *Larousse* wohl weit gekommen sein seit der Zeit ...»

«Ach, der *Larousse* ... nein. Damit hab ich aufgehört. Ich hab die Schnauze voll von Definitionen. Im Ernst, kannst du mir sagen, was das nützt, wenn man die Bedeutungen von Wörtern kennt?»

«Um mich das zu fragen, wolltest du mich sprechen?»

«Nein ... nein ... Aber wir laufen uns ja ständig über den Weg ... und ich wollte mich einfach nur mal erkundigen, wie es dir geht ... wie's zur Zeit bei dir läuft ...»

Bei diesen letzten Worten geriet er fast ins Stottern. Sobald er dieser Frau gegenübertrat, glich er einer entgleisenden Lokomotive. Ihm war schleierhaft, wie sie eine derartige Wirkung auf ihn haben konnte. Natürlich war sie schön, natürlich hatte sie eine Art, die er bewunderte, aber trotzdem: War das genug? Er war ein Mann in einer mächtigen Position, und die rothaarigen Sekretärinnen fingen manchmal an zu gackern, wenn er vorüberging. Er hätte jede Menge Frauen haben können, jede Woche fünf Schäferstündchen in Fünfsternehotels verbringen können. Was also war los? Er wusste keinen Rat. War er einem totalitären ersten Eindruck erlegen? Das war der einzige Grund, der infrage kam. Jener Augenblick, in dem er ihr Gesicht auf dem Lebenslauf erblickt hatte, in dem er sich entschlossen hatte: Ich werde selbst das Vorstellungsgespräch mit ihr führen. Dann war sie gekommen, frisch verheiratet, blass und zögerlich, und ein paar Augenblicke später hatte er ihr ein Knäckebrot angeboten. Hatte er sich vielleicht in ein Foto verliebt? Es gibt doch nichts Aufreibenderes als ein dem Diktat einer erstarrten Schönheit unterworfenes Sinnenleben. Er ließ sie nicht aus den Augen. Anscheinend wollte sie sich nicht setzen. Sie stolzierte durch den Raum, befühlte hie und da einige Gegenstände, lächelte ohne ersichtlichen Anlass: die gnadenlose Ausgeburt der Weiblichkeit. Schließlich ging sie um seinen Schreibtisch herum und baute sich hinter Charles auf:

«Was … was machst du da?»

«Ich betrachte deinen Kopf.»

«Aber warum denn?»

«Ich betrachte deinen Hinterkopf. Ich habe nämlich das Gefühl, dass du da noch einen Hintergedanken hast.»

Das fehlte gerade noch: dass sie Späße machte. Charles war mittlerweile alles andere als Herr der Lage. Belustigt stand sie hinter ihm. Zum ersten Mal schien die Vergangenheit tatsächlich vergangen. Er hatte ihr an ihren schwärzesten Tagen beigestanden. Er hatte sich nächtelang mit dem Gedanken geplagt, sie könne sich das Leben nehmen, und nun stand sie quicklebendig hinter ihm.

«Komm, setz dich bitte», sagte er mit ruhiger Stimme.

«Okay.»

«Du siehst glücklich aus. Und das macht dich schön.»

Nathalie sagte nichts. Sie hoffte, er hatte sie nicht in sein Büro gebeten, um ihr eine neuerliche Liebeserklärung zu machen. Er fuhr fort:

«Hast du mir nichts zu sagen?»

«Nein, du hattest doch mir etwas zu sagen.»

«In deinem Team läuft alles gut?»

«Ja, glaub schon. Du müsstest es eigentlich besser wissen als ich. Du hast die Umsatzzahlen.»

«Und … mit Markus?»

Das war es also, was Charles im Hinterkopf gehabt hatte. Er wollte über Markus reden. Wieso war sie nicht eher darauf gekommen?

«Ich habe gehört, ihr seid öfter mal essen gegangen.»

«Von wem hast du das gehört?»

«Bei uns kommt doch alles ans Licht.»

«Na und? Das ist mein Privatleben. Was geht dich das an?»

Nathalie hielt schlagartig inne. Ihr Gesicht nahm eine andere Färbung an. Sie starrte Charles an, der kläglich an ihren Lippen klebte, gespannt auf eine Erklärung wartete und danach lechzte, dass sie alles abstreiten würde. Eine ganze Weile behielt sie ihn im Auge und wusste nicht, was nun geschehen würde. Schließlich verließ sie, ohne ein weiteres Wort, sein Büro. Sie ließ ihren ordentlich frustrierten Chef in der Ungewissheit zurück. Dieses Getuschel hinter ihrem Rücken war für sie unerträglich. Die ganze Palette fand sie abscheulich: Hintergedanken haben, jemandem in den Rücken fallen, das Messer an die Kehle setzen. Am meisten hatte sie sich über den Satz «Bei uns kommt doch alles ans Licht» geärgert. Wenn sie jetzt noch einmal an ein paar Begegnungen zurückdachte, konnte sie bestätigen: Ja, da war etwas zu spüren gewesen in den Blicken der anderen. Es brauchte sie nur jemand im Restaurant gesehen haben oder beim Verlassen des Gebäudes, und schon war der ganze Betrieb in Aufruhr. Weswegen ärgerte sie sich so darüber? Ihre Antwort, das sei ihr Privatleben, war recht schroff ausgefallen. Sie hätte zu Charles ebenso gut sagen können: «Ja, das ist der Mann, der mir gefällt.» Aus tiefster Überzeugung. Andererseits auch wieder nicht, sie wollte das Gespräch nicht auf diese Geschichte bringen, und es stand niemandem zu, ein solches Gespräch zu fordern. Als auf dem Weg zurück in ihr Arbeitszimmer die Kollegen an ihr vorüberhuschten, bemerkte sie die Veränderung. Der wohlwollend mitleidige Blick wurde durch etwas anderes getrübt. Doch was geschehen würde, konnte sie noch nicht ahnen.

81

Der Tag, an dem
Der Mann, der mir gefällt
(Regie: Claude Lelouch) mit Jean Paul Belmondo und Annie Girardot in Frankreich anlief

3. Dezember 1969

82

Nachdem Nathalie gegangen war, blieb Charles eine ganze Weile still sitzen. Ihm war vollkommen klar, dass er die Situation nicht in den Griff bekommen hatte. Er hatte sich ungeschickt angestellt. Vor allem war es ihm nicht gelungen, ihr begreiflich zu machen, was wirklich in ihm vorging: «Doch, das geht mich etwas an. Von mir wolltest du nämlich nichts wissen. Von überhaupt keinem Mann wolltest du mehr etwas wissen. Also habe ich doch das Recht zu erfahren, was in dir vorgeht. Ich habe das Recht zu erfahren, was dir an ihm gefällt und was dir an mir nicht gefällt. Du weißt ganz genau, wie sehr ich dich geliebt habe, was für ein harter Schlag das für mich war. Insofern schuldest du mir schon eine Erklärung, sonst verlange ich ja nichts von dir.» Etwas in dieser Art hatte er sagen wollen. Doch so ist das nun mal mit den Unterhaltungen über die Herzensangelegenheiten: Es kommt stets zu fünfminütigen Verzögerungen.

An diesem Tag war er zu arbeiten nicht in der Lage. Er hatte sich in sein Schicksal gefügt, nachdem die Dinge mit Nathalie sich an jenem Abend, an dem es in der Fußballmeisterschaft zu dieser Unentschiedenserie gekommen war, erledigt hatten. Die Eigenwilligkeit sexueller Triebfedern hatte es gewollt, dass der Beziehung zu seiner Frau dadurch sogar ein zweiter Frühling beschieden worden war. Wochenlang hatten sie ununterbrochen miteinander geschlafen, hatten ihre Körper wieder zueinandergefunden. Dies ließ sich durchaus als prachtvolles Stadium bezeichnen. Manchmal entbrennt die Leidenschaft heftiger, wenn man eine alte Liebe neu entdeckt, als wenn man die Liebe nur einfach so findet. Doch dann begann der Verfall allmählich wieder höhnisch seine Kreise zu ziehen. Wie hatten sie glauben können, ihre Liebe sei zu retten? Es war nur eine Phase gewesen, ein Zwischenspiel der Verzweiflung, die eine andere Form angenommen hatte, eine karge Ebene, an deren Rändern sich zwei erhabene Berge auftürmten.

Charles fühlte sich ausgelaugt und müde. Alles Schwedische konnte ihm gestohlen bleiben. Dieser anstrengende Habitus, immer ruhig zu bleiben. Nie ins Telefon zu schreien. Dieses relaxte Gehabe und die Eigenart, die Betriebsangehörigen zur Massage zu schicken. Der ganze Wellness-Kram ging ihm langsam auf den Wecker. Er sehnte sich nach mediterraner Hysterie und träumte manchmal davon, Geschäfte mit Teppichhändlern zu treiben. In einer solchen Stimmung hatte er sich befunden, als er die Nachricht bezüglich Nathalies Privatleben vernehmen musste. Von da an dachte er nur noch an diesen Mann, diesen Markus. Wie hatte er es angestellt, noch dazu mit so einem Scheißvornamen, Nathalie zu verzaubern? Er hätte das nicht für möglich gehalten. Er wusste nur zu gut, dass ihr Herz so etwas wie eine Fata Morgana war; sobald man sich ihm näherte, war es weg. Aber das schien sich in dem Fall anders zu verhalten. Ihrer übertriebenen Reaktion war zu entnehmen, dass an den Gerüchten etwas dran war. O nein, das durfte nicht sein. Damit würde er nie fertig werden. «Wie hat er es angestellt?», sagte Charles immer wieder vor sich hin. Wahrscheinlich hat er sie verhext, der alte Schwede, oder irgendetwas in der Art. Sie betäubt, hypnotisiert, ihr ein Mittelchen eingeflößt. Etwas anderes kam gar nicht infrage. Sie war ihm so verändert erschienen. Ja, vielleicht war es das, was ihn am meisten verletzt hatte: Er erkannte seine Nathalie gar nicht wieder. Sie hatte sich irgendwie gewandelt. Eine regelrechte Modifikation hatte stattgefunden. Das hieß, es gab nur einen Weg: diesen Markus vorladen, um herauszufinden, wie faustdick er es hinter den Ohren hatte. Um sein Geheimnis zu lüften.

83

Anzahl von Sprachen, darunter auch das Schwedische,
in denen der 1957 mit dem Prix Renaudot ausgezeichnete Roman
Paris – Rom oder Die Modifikation
von Michel Butor
erschienen ist

20

84

Markus war nach dem Grundsatz erzogen worden, nie irgendwelchen Wirbel zu machen. Sich unauffällig zu verhalten, wo er auch hinkam. Das Leben sollte einem langen Flur gleichen. Daher verfiel er automatisch in Panik, als er zum Chef zitiert wurde. Er mochte sich als Mann beweisen, seinen Sinn für Humor und sein Verantwortungsbewusstsein zeigen, eine verlässliche Größe sein, doch sobald er es mit einer Respektsperson zu tun bekam, stand er da wie ein kleines Kind. Im Zustand höchster Wallung bedrängten ihn zahlreiche Fragen: «Warum will er mich sehen? Was habe ich getan? Habe ich bei der Akte 114 den Versicherungsanteil schlecht ausgehandelt? War ich in letzter Zeit zu oft beim Zahnarzt?» Von allen Seiten stürmten Schuldgefühle auf ihn ein. Und vielleicht lag darin ja seine wahre Natur. Er witterte ständig die nicht vorhandene Gefahr einer über ihn hereinbrechenden Strafe.

Er klopfte stets auf seine Art, mit zwei Fingern. Charles beorderte ihn herein.

«Bonjour, ich wollte Sie sprechen ... weil Sie mich sprechen ...»

«Ich hab jetzt keine Zeit ... Ich hab einen Termin.»

«Ach so. Na gut.»

« ... »

«Okay, dann geh ich wieder. Ich komm später noch mal.»

Charles komplimentierte diesen Mitarbeiter, den er im Moment nicht empfangen konnte, hinaus. Er erwartete diesen sagenumwobenen Markus. Dass er ihm soeben begegnet war, wäre ihm nicht im Traum eingefallen. Dieser Mistkerl, erst eroberte er Nathalies Herz, und dann besaß er auch noch die Frechheit, nicht zu erscheinen, wenn man ihn einbestellte. Welch rebellischer Geselle mochte das wohl sein? Aber so würde das nicht laufen. Für wen hielt der sich? Charles rief seine Sekretärin an:

«Ich habe einen gewissen Markus Lundell in mein Büro gebeten, und er ist immer noch nicht da. Können Sie mal nachsehen, was da los ist?»

«Aber Sie haben ihn doch weggeschickt.»

«Nein, er war nicht da.»

«Doch. Ich habe ihn gerade aus Ihrem Büro kommen sehen.»

Hierauf gingen bei Charles sämtliche Lichter aus, als fege ein plötzlich aufkommender Wind durch ihn hindurch. Ein Nordwind freilich. Er fiel fast in Ohnmacht. Die Sekretärin musste Markus noch einmal rufen. Dieser hatte eben erst auf seinem Stuhl Platz genommen und sollte nun abermals aufstehen. Er fragte sich, ob Charles ihn möglicherweise zum Narren halten wollte. Er dachte, vielleicht hat er sich über die schwedischen Aktionäre aufgeregt und will sich daher an einem ihrer Landsmänner rächen. Markus wollte nicht das Jo-Jo seines Chefs sein. Wenn das so weiterging, würde er tatsächlich noch auf das Ansinnen von Jean-Pierre aus dem zweiten Stock zurückkommen und der Gewerkschaft beitreten.

Erneut betrat er das Chefzimmer. Charles hatte gerade den Mund voll. Er versuchte, sich mit Knäckebrot zu beruhigen. Eine verbreitete Entspannungstechnik, Dinge zu tun, die einem auf den Geist gehen. Er zitterte, er schwankte, aus seinem Mund bröselten Krümel. Markus war sprachlos. Wie war es möglich, dass ein solcher Mann ein Unternehmen lenkte? Doch Charles war natürlich noch sprachloser. Wie war es möglich, dass ein solcher Mann Nathalies Herz lenkte? Aus ihrer beider Sprachlosigkeit erwuchs ein der Zeit entrückter Moment, in dem niemand ahnen konnte, was nun folgen würde. Markus wusste nicht, worauf er gefasst sein sollte. Und Charles wusste nicht, was er sagen sollte. In erster Linie war er außerordentlich schockiert: «Aber wie kann das denn sein? Er ist widerwärtig … Überhaupt kein

Erscheinungsbild … Ein lascher Typ, das sieht man doch, dass er lasch ist … O nein, das darf nicht wahr sein … Außerdem schaut er die Leute so schräg von der Seite an … O nein … was für ein Skandal … Dieser Mann kommt für Nathalie nicht infrage … auf gar keinen Fall, nein und nochmals nein … Oh, wie er mich anwidert … Und es kommt auch nicht infrage, dass er weiter um sie herumschwänzelt … auf gar keinen Fall … Den schicke ich heim nach Schweden … Genau … eine nette kleine Versetzung … Gleich morgen versetze ich ihn!»

Charles konnte ungemein lange so vor sich hin brüten. Zu sprechen war er nicht in der Lage. Aber na gut, er hatte ihn rufen lassen, also musste er auch etwas sagen. Um Zeit zu gewinnen, bot er an:

«Wollen Sie ein Knäckebrot?»

«Nein danke. Ich habe Schweden verlassen, um diese Art von Brot nicht mehr essen zu müssen … das heißt, ich werde hier nicht wieder damit anfangen.»

«Aha … aha … sehr lustig … aha … hi!»

Charles stieß ein schallendes Gelächter aus. Das Arschloch hatte Humor. So ein Arschloch aber auch … Das sind ja die Schlimmsten: erst ein depressives Gesicht machen und dann plötzlich mit Späßen auftrumpfen … Wenn man überhaupt nicht damit rechnet, zack, ein Witz … Bestimmt war das sein Rezept. Charles hatte immer das Gefühl gehabt, dass es eine Schwäche von ihm war, dass er die Frauen seines Lebens nicht genug zum Lachen gebracht hatte. Beim Gedanken an Laurence stellte er sich sogar die Frage, ob er nicht die Gabe hatte, Frauen düster zu stimmen. Seit zwei Jahren, drei Monaten und siebzehn Tagen hatte seine Frau nicht mehr gelacht, schon richtig. So etwas vergaß er nicht, er hatte nämlich in seinen Kalender, so wie sich andere eine Mondfinsternis notieren, eingetragen: «Heute hat meine Frau gelacht.» Na ja, genug der gedanklichen Abschweifungen. Es galt zu reden. Was hatte er eigentlich zu befürchten? Er war schließlich der Boss. Er verfügte darüber, wer wie viele Essensgutscheine bekam, das war doch schon mal was. Nein, im Ernst, er musste sich am Riemen reißen. Aber wie sollte er es angehen, mit dem Mann ins Gespräch zu kommen? Wie ihm ins Gesicht sehen? Ach ja, die Vorstellung, dass Markus an Nathalie Hand anlegte, widerte ihn an. Dass er seine Lippen auf die ihrigen presste. Welch ein Frevel, was für ein Vergehen! Ach, Nathalie. Es war nicht zu leugnen, dass er sie immer geliebt hatte. Die Liebe ist unbezwinglich. Er hatte geglaubt, es würde leicht sein, sie zu vergessen. Von wegen, die einstmaligen Gefühle hatten in ihm weitergeschlummert und gelangten nun, in der spöttischsten Gestalt, wieder an die Oberfläche.

Ihm schwebte eine noch rigorosere Lösung als die Versetzung vor: die Entlassung. Markus musste bei der Arbeit irgendeinen Fehler begangen haben, so etwas war unvermeidlich. Alle Welt macht Fehler. Andererseits handelte es sich bei Markus um keinen Allerweltsmenschen. Er ging mit Nathalie aus, daran merkte man es schon. Vielleicht war er einer von diesen Musterangestellten, die Sorte, die Überstunden macht und dazu noch lächelt, einer von denen, die nie eine

Gehaltserhöhung fordern. Mit anderen Worten: einer von der schlimmsten Sorte. Dieses Genie war vielleicht nicht mal in der Gewerkschaft.

«Sie wollten mich sprechen?», wagte Markus sich vor. Nachdem Charles mehrere Minuten mit seiner Sprachlosigkeit auf Tauchstation gegangen war, funkte er dazwischen.

«Ja … ja … Ich bringe nur eben meine Gedanken zu Ende, und dann bin ich gleich für Sie da.»

Er konnte ihn nicht ewig so warten lassen. Oder doch: Er würde ihn den ganzen Tag so warten lassen, nur um zu sehen, wie er reagierte. Allerdings schien ihn das vor keine größeren Probleme zu stellen. Denn wenn er es recht bedachte: Es gibt doch nichts Unangenehmeres, als jemandem gegenüberzustehen, der nichts sagt. Vor allem, wenn man diesen Jemand zum Chef hat. Jeder andere würde doch Zeichen der Anspannung erkennen lassen, würde ein paar Tropfen schwitzen, mit den Händen herumfuchteln, die Beine übereinanderschlagen und wieder nebeneinanderstellen … Nun ja, das war bei Markus alles nicht der Fall. Er stand seit zehn oder vielleicht seit fünfzehn Minuten da und rührte sich nicht. In vollkommen stoischer Gelassenheit. Unerhört, wenn man sich das mal überlegte. Diesen Mann zeichnete unzweifelhaft eine große mentale Stärke aus.

Zur gleichen Zeit war es schlicht das reichlich unangenehme Gefühl der Ungewissheit, das Markus steife Glieder verursachte. Er kapierte nicht, was hier vor sich ging. Jahrelang hatte er seinen Chef nie zu Gesicht bekommen, und jetzt rief dieser Chef ihn zu sich, um sich mit ihm in Schweigen zu hüllen. Ungewollt vermittelte jeder dem anderen ein Bild der Stärke. Es war an Charles, das Wort zu ergreifen, doch nichts zu machen. Seine Zunge stand unter dem Siegel der Verschwiegenheit. Unablässig blickte er wie unter Hypnose tief in Markus' Augen. Zuerst hatte er sich ja mit dem Gedanken getragen, sich ihn vom Hals zu schaffen, doch allmählich tat sich eine zweite Option auf. Bei aller Feindseligkeit übte dieser Markus doch offensichtlich eine gewisse Faszination auf ihn aus. Er durfte sich seiner nicht entledigen, im Gegenteil, er musste ihn in Aktion erleben. Endlich machte er Anstalten, mit ihm zu reden:

«Pardon, ich habe Sie warten lassen. Es ist nur so, dass ich mir gern die Zeit nehme, meine Worte abzuwägen, bevor ich sie an jemanden richte. Im Speziellen, wenn es darum geht zu verkünden, was ich Ihnen zu verkünden habe.»

«…»

«Genau, ich habe nämlich Wind davon bekommen, wie Sie die Akte 114 verwalten. Sie wissen ja, mir bleibt hier nichts verborgen. Es kommt alles ans Licht. Und ich muss sagen, ich schätze mich überaus glücklich, Sie zu unseren Mitarbeitern zählen zu dürfen. Und auch gegenüber den Schweden habe ich von Ihnen geschwärmt, und die sind wahnsinnig stolz, dass sie einen so kompetenten Landsmann haben.»

«Danke …»

«Ich bin doch derjenige, der zu danken hat. Man merkt Ihnen an, dass Sie eine treibende Kraft dieser Gesellschaft sind. Im Übrigen würde ich Ihnen gern in einem besonderen Rahmen persönlich gratulieren. Ich glaube, ich verbringe nicht genügend Zeit mit den tüchtigen Elementen unseres Konzerns. Es wäre mir eine Freude, Sie näher kennenzulernen. Wir könnten zum Beispiel heute Abend essen gehen, wie wär's? Was meinen Sie, hä? Na, das ist doch eine gute Idee, oder?»

«Öh … einverstanden.»

«Ach, herrlich, es wird mir ein Vergnügen sein! Und es gibt ja im Leben nicht nur die Arbeit … Wir können uns auch über jede Menge anderer Dinge unterhalten. Ich finde das gut, wenn man hin und wieder die Schranken zwischen Führungskräften und Mitarbeitern niederreißt.»

«Wenn Sie meinen.»

«Na dann, bis heute Abend … Markus! Schönen Tag noch … und es lebe die Arbeit!»

Markus verließ das Büro, sprachlos wie der Sonnenschein bei einer Finsternis.

85

Anzahl der im Jahre 2002 verkauften Knäckebrotpackungen

22,5 Millionen

86

Es hatte sich überall herumgesprochen: Markus und Nathalie standen in einem Liebesverhältnis. In Wahrheit hatten sie sich lediglich dreimal geküsst. Laut Gerüchteküche war sie schwanger. Genau, die Leute dichteten noch was dazu. Und um die Tragweite eines Gerüchts zu berechnen, braucht man nur die Einnahmen zu beziffern, die am Kaffeeautomaten erzielt werden. Für heute deutete sich ein historischer Ertrag an. Wenn auch jeder im Betrieb Nathalie kannte, so wusste doch niemand wirklich, wer Markus war. Er galt als diskretes Glied einer Kette, als durchsichtige Faser eines Gewebes. Als er, vom soeben Erlebten leicht benommen, zurück auf sein Zimmer ging, fiel ihm auf, dass sich zahlreiche Blicke auf ihn richteten. Er verstand nicht, woher das kam, und ging auf die Toilette, um den Faltenwurf seines Jacketts, seine Strähnen, seine Zahnzwischenräume und seine Gesichtsfarbe zu begutachten. Es gab nichts zu beanstanden, alles war an seinem Platz.

Im Laufe des Tages nahm das Interesse an seiner Person ständig zu. Zahllose Beschäftigte fanden einen Vorwand, um den Kopf bei ihm hereinzustecken. Man stellte ihm Fragen, man hatte sich in der Tür geirrt. Vielleicht war das bloß ein Zufall. Es gibt solche Tage, die außergewöhnlich ereignisreich sind, ohne dass sich genau erklären ließe, warum. Das liegt am

Mond, hätte seine schwedische Tante gesagt, die in Norwegen eine berühmte Wahrsagerin war. Dadurch, dass er pausenlos unterbrochen wurde, kam er gar nicht zum Arbeiten. Verflixt und zugenäht: An dem Tag, an dem sein Chef ihn zu seinen Leistungen beglückwünscht hatte, hatte er keinen Finger gerührt. Möglich, dass ihm auch das zu schaffen machte. Wer nie im Mittelpunkt gestanden hat, wer die Welt nur so kennt, dass das eigene Treiben sowieso niemanden kümmert, für den ist es keine leichte Sache, mit einem Mal ins Rampenlicht geschubst zu werden. Und dann war da noch Nathalie. Er war ganz von ihr erfüllt. Und sie erfüllte ihn immer mehr. Das letzte Rendezvous hatte ihm viel Hoffnung gegeben. In seinem Leben vollzog sich allmählich eine seltsame Wendung, die Ängste und Unsicherheiten nahmen freundlich ihren Hut.

Auch Nathalie hatte gespürt, dass um sie herum eine merkwürdige Betriebsamkeit herrschte. Es war nur so ein dumpfes Gefühl, bis zu dem Augenblick, in dem Chloé, Verfechterin unverblümter Vorgehensweisen, sich ein Herz fasste:

«Darf ich Sie was fragen?»

«Ja.»

«Es heißt, Sie hätten eine Affäre mit Markus. Ist das wahr?»

«Ich habe Ihnen schon einmal gesagt, dass Sie das nichts angeht.»

Diesmal war Nathalie aber richtig gereizt. Alles, was sie an der jungen Frau einmal gemocht hatte, schien sich in Luft aufzulösen. Sie sah nur noch, dass Chloé von einer niederen

Manie besessen war. Wie Charles sich benommen hatte, hatte sie schon bestürzt, und nun ging das so weiter. Wieso waren sie alle so aus dem Häuschen? Chloé stotterte, aber gab nicht auf:

«Es ist bloß so, dass ich mir das bei Ihnen überhaupt nicht vorstellen ...»

«Jetzt reicht's. Gehen Sie», brauste Nathalie auf.

Instinktiv spürte sie, je mehr auf Markus herumgehackt wurde, desto tiefer fühlte sie sich ihm verbunden. Um so weiter eine verständnislose Welt von ihnen abrückte, desto fester schweißte sie dies zusammen. Chloé kam sich vor wie der letzte Dreck, als sie das Zimmer verließ. Es war ihr so wichtig, einen besonderen Draht zu Nathalie zu haben, aber eben hatte sie sich angestellt wie eine Idiotin. Andererseits war sie fraglos erschüttert. Und dem durfte sie doch Ausdruck verleihen, oder? Und außerdem war sie nicht die Einzige. Dem Gedanken an eine Liebschaft der beiden haftete etwas Ungebührliches an. Nicht, dass sie Markus nicht mochte oder gar abstoßend fand, sie konnte ihn sich nur nicht mit einer Frau zusammen vorstellen. Sie hatte ihn die ganze Zeit für ein Ufo gehalten, das von einem männlichen Stern kam. Nathalie hingegen hatte in ihren Augen immer ein weibliches Ideal verkörpert. Instinktiv sträubte sie sich demnach gegen diese Beziehung, und das wiederum hatte zu ihrem Verhalten geführt, das nicht gerade von Feingefühl zeugte, das wusste sie schon. Aber als sie alle fragten: «Na? Na? Hast du Informationen?», da spürte sie, welchen Wert doch so ein besonderer Draht besaß. Und dass sich nach Nathalies Abfuhr vielleicht neue Geistesverwandtschaften eröffnen würden.

87

Vorwände, die die Beschäftigten fanden, um in Markus' Zimmer mal den Kopf reinzustecken.

Ich möchte gern diesen Sommer mit meiner Frau Urlaub in Schweden machen.
Hast du vielleicht ein paar Tipps für mich?

Hast du vielleicht einen Radiergummi für mich?

O pardon. Ich hab mich in der Tür geirrt.

Sitzt du immer noch über der 114?

Funktioniert bei dir das Intranet?

Das ist schon eine verrückte Geschichte von diesem Schweden, der den Erfolg seiner Trilogie nicht mehr erleben durfte, weil er vorher starb.

88

Am Nachmittag trafen sich Nathalie und Markus zu einer gemeinsamen Pause auf dem Dach. Das Dach war ihr Unterschlupf geworden, ein geheimer Gang. Ein Blickwechsel genügte, und beiden war klar, dass etwas Außergewöhnliches passierte. Dass sie beide von der Neugier der anderen überwältigt wurden. Sie mussten lachen über diesen Firlefanz und sich in den Armen halten, die schönste Art der Welt, Stille zu erzeugen. Nathalie seufzte, sie wolle ihn am Abend wiedersehen, und wünschte sogar, der Abend wäre jetzt. Schön und süß war die unvermutete Wucht des Augenblicks. Markus wurde verlegen und erklärte, er habe keine Zeit. Welch eine missliche Lage: Während er jede ohne Nathalie verbrachte Sekunde zunehmend als vergeudet betrachtete, konnte er unter gar keinen Umständen das Essen mit seinem Chef ausfallen lassen. Nathalie war überrascht und wagte nicht zu fragen, was er vorhatte. Vor allen Dingen wunderte sie sich, als sie sich plötzlich in einer Wartestellung wiederfand, die sie verletzlich machte. Markus erläuterte, dass er mit Charles essen ging.

«Er will mit dir essen gehen? Heute Abend?»

Sie wusste in dem Moment nicht, ob sie lachen oder aus der Haut fahren sollte. Charles konnte doch nicht einfach mit einem Mitarbeiter aus ihrem Team Essen gehen, ohne ihr ein

Wort davon zu sagen. Sie durchschaute bald, dass das Essen nichts mit der Arbeit zu tun hatte. Markus hatte sich bis dahin nicht groß angestrengt zu ergründen, was seinen Chef so aus heiterem Himmel veranlasst haben mochte. Im Grunde leuchtete ihm ein: Mit seiner 114 machte er einen guten Job.

«Und hat er auch gesagt, warum er mit dir essen will?»

«Öh … ja … er will mir gratulieren …»

«Kommt dir das nicht komisch vor? Will er demnächst mit der gesamten Belegschaft Essen gehen, um allen zu gratulieren?»

«Weißt du, er kam mir so komisch vor, dass mir bei ihm überhaupt nichts mehr komisch vorkommt.»

«Das stimmt allerdings. Da hast du recht.»

Nathalie bewunderte Markus' Art, die Dinge zu sehen. Man konnte sie für naiv halten, aber das war sie nicht. Sie hatte etwas kindlich Sanftmütiges an sich und beinhaltete die Fähigkeit, Situationen anzunehmen, auch die verworrensten. Er ging auf sie zu und küsste sie. Ihr vierter Kuss, die normalste Sache der Welt. Am Anfang einer Beziehung ist fast jeder Kuss eine Analyse wert. Die ersten zeichnen sich scharf in der Erinnerung ab, die späteren beginnen, sich im Getümmel der Wiederholung zu vermischen. Nathalie beschloss, über Charles und seine grotesken Hintergedanken keine weiteren Worte zu verlieren. Markus würde selbst herausfinden, was es mit diesem Dinner auf sich hatte.

89

Markus wollte sich umziehen und war deswegen geschwind nach Hause gefahren, mit dem Chef war er ja erst um 21 Uhr verabredet. Wie üblich konnte er sich nicht zwischen diversen Jacketts entscheiden. Und nahm am Ende das, das am professionellsten wirkte. Am seriösesten, um nicht zu sagen am düstersten. Er sah aus wie ein Totengräber, der Ferien machte. Als er wieder in die Schnellbahn eingestiegen war, kam es zu Komplikationen. Die Fahrgäste gerieten bereits in Aufruhr. Es wurden keine Informationen durchgegeben. War ein Feuer ausgebrochen? Hatte sich jemand vor den Zug geworfen? Niemand wusste so recht Bescheid. Im Abteil griff die Panik um sich, und Markus dachte vorrangig daran, dass er seinen Chef warten ließ. So war es. Vor gut zehn Minuten hatte Charles Platz genommen, und nun trank er ein Glas Rotwein. Er war gereizt, äußerst gereizt sogar, denn nie zuvor hatte ihn jemand so warten lassen. Und unter Garantie kein Angestellter, von dessen Existenz er noch am selben Morgen gar nichts gewusst hatte. Gleichwohl, inmitten dieses Verdrusses regte sich ein anderes Gefühl. Das gleiche, das er schon am Morgen gehabt hatte, doch diesmal war es stärker. Das Gefühl einer gewissen Faszination. Dieser Mann war wirklich zu allem fähig. Wer würde es wagen, zu einem solchen Termin zu spät zu kommen? Wer wäre imstande, derart seine Autorität zu untergraben? Da blieb einem doch die Spucke weg. Dieser Mann hatte Nathalie verdient. Daran bestand kein Zweifel. Das war mathematisch erwiesen. Chemisch erprobt.

Manchmal, wenn man spät dran ist, denkt man sich: Rennen hilft jetzt auch nichts mehr. Ob man nun 30 oder 35 Minuten zu spät kommt, läuft doch aufs Gleiche hinaus. Also lieber den anderen noch ein bisschen länger warten lassen, als schweißgebadet ankommen. Das dachte sich auch Markus. Er wollte sich nicht atemlos und hochrot im Gesicht präsentieren. Er wusste: Sobald er auch nur ein wenig rannte, sah er aus wie ein Neugeborenes. Somit graute ihm, als er aus der Metro stieg, bei dem Gedanken, so viel zu spät zu kommen (und seinen Chef nicht benachrichtigt zu haben, aber er hatte die Handynummer nicht), ging jedoch gemäßigten Schrittes. Und so war er ruhig, ganz ruhig, als er sich mit rund einer Stunde Verspätung zum Essen einfand. Das schwarze Jackett betonte seine gleichsam grabesruhige Ausstrahlung. Ein bisschen so wie in einem Film noir, wo die Helden stumm aus einem Halbschatten hervortreten. Charles hatte derweilen annähernd eine Flasche Wein geleert. Damit wiegte er sich in einer romantischen, nostalgischen Stimmung. Die schnellbahntechnischen Entschuldigungen, die Markus anführte, hörte er gar nicht. Mit dessen Erscheinen war ihm der Inbegriff der Gnade zuteilgeworden.

Und im Geiste dieses triumphalen ersten Eindrucks sollte der Abend dahinschaukeln.

90

Bernard Blier über Pierre Richard in
Der große Blonde mit dem schwarzen Schuh

Das ist ein ganz ausgeschlafener Bursche.

91

Im Laufe des Abends wunderte Markus sich sehr über Charles' Gebaren. Dieser war nicht in der Lage, einen Satz zu Ende zu führen, und brabbelte und sabberte und stammelte. Ab und an lachte er abrupt auf, aber nie in den Momenten, in denen sein Gegenüber um Erheiterung bemüht war. Zwischen seiner inneren Uhr und der Gegenwart klaffte eine Art Zeitverschiebung. Nach einer Weile fasste Markus sich ein Herz:

«Sind Sie sicher, dass Sie sich auch wohlfühlen?»

«Wohlfühlen? Ich? Wissen Sie, seit gestern ist es immer so. Vor allem gerade im Moment.»

Die Zusammenhanglosigkeit dieser Bemerkung erhärtete Markus' Verdacht. Charles war nicht vollkommen verrückt geworden. Wenn hie und da kurz sein Verstand aufblitzte, spürte man, dass er lediglich ins Wanken geraten war. Aber er hatte sich selbst nicht in der Gewalt. Bei ihm waren einige Sicherungen durchgebrannt. Er fand sich einem Schweden gegenüber, der sein Leben, sein System aus der Bahn geworfen hatte. Er mühte sich, in die Realität zurückzukehren. Markus hatte in der Vergangenheit zwar schon viel Düsteres erlebt, war aber nicht weit von dem Gedanken entfernt, dass dieses Essen vielleicht das düsterste seines Lebens war. Das will einiges heißen. Dennoch konnte er das wachsende Mitleid, das ihn ergriff, schwer bändigen, das Bedürfnis, diesem Wrack unter die Arme zu greifen.

«Kann ich Ihnen irgendwie helfen?»

«Ja bestimmt, Markus ... Ich werd mal überlegen, das ist nett von Ihnen. Stimmt, Sie sind nett ... das merkt man ... Zum Beispiel daran, wie Sie mich ansehen ... Sie verurteilen mich nicht ... Ich verstehe allmählich ... Jetzt wird mir alles klar ...»

«Was wird Ihnen klar?»

«Na das mit Nathalie. Je länger ich Sie ansehe, desto klarer wird mir, woran es mir mangelt.»

Markus stellte sein Glas ab. Ihn hatte schon die leise Ahnung beschlichen, dass das Ganze mit Nathalie zusammenhängen könnte. Entgegen aller Erwartungen überkam ihn erst mal ein Gefühl der Erleichterung. Es war das erste Mal, dass er auf sie angesprochen wurde. Nathalie entschwand in genau diesem Moment seiner Traumwelt. Und trat ins wirkliche Leben ein.

Charles fuhr fort:

«Ich liebe sie. Wissen Sie, dass ich sie liebe?»

«Ich weiß vor allem, dass Sie zu viel getrunken haben.»

«Na und? Das ändert doch nichts daran. Ich bin bei klarem Verstand. Ich sehe ganz klar, woran es mir fehlt. Wenn ich Sie anschaue, wird mir klar, wie sehr ich im Leben versagt habe ... was für ein oberflächliches Dasein ich geführt habe ... und was für Kompromisse ich ständig eingegangen bin ... Es mag Ihnen komisch erscheinen, aber ich will Ihnen sagen, was ich noch nie jemandem gesagt habe: Ich wollte einmal Künstler werden ... Ja, ich weiß, das alte Lied ... aber als Kind habe ich wirklich leidenschaftlich gern Schiffchen gezeichnet ... Das war mein ganzes Glück ... Ich hatte eine stolze Sammlung von Miniaturgondeln ... ich verbrachte Stunden damit, sie abzumalen ... ich war akribisch genau in allen Einzelheiten ... Wie gern hätte ich weitergemalt ... wie gern hätte ich mich in diesem Lebensstil der gemütlichen Raserei eingerichtet ... Stattdessen stopfe ich jetzt den ganzen Tag Knäckebrot in mich rein ... und diese Tage scheinen kein Ende nehmen zu wollen ... und sie ähneln sich alle, so wie die Chinesen sich alle ähneln ... Und mein Sexualleben ... meine Frau ... also das ist komisch ... Sprechen wir lieber nicht davon ... aber mir wird jetzt alles klar ... Wenn ich Sie anschaue, wird mir alles klar ...»

Charles unterbrach auf einmal seinen Monolog. Markus schaute betreten drein. Ein Fremder, der einem sein Herz ausschüttet, bringt einen immer in eine schwierige Lage, und wenn es sich bei dem Unbekannten um den eigenen Chef handelt, wird die Lage nicht leichter. Er konnte lediglich versuchen, mit scherzhaften Beiträgen die Atmosphäre aufzulockern.

«Das ist Ihnen wirklich alles klar geworden, als Sie mich angeschaut haben? So einen starken Eindruck mache ich auf Sie? Und in so kurzer Zeit …?»

«Und außerdem haben Sie viel Sinn für Humor. Sie sind wirklich ein Genie. Sie stehen mit Marx und Einstein auf einer Stufe.»

Markus fand auf diesen etwas überzogenen Ausspruch keine passende Antwort. Zum Glück tauchte der Kellner auf:

«Haben Sie sich entschieden?»

«Ja, ich will Fleisch», sagte Charles. «Blutiges.»

«Und für mich Fisch, bitte.»

«Sehr wohl, meine Herren», erwiderte der Kellner und ging davon.

Er war keine zwei Meter weit gekommen, als Charles ihn zurückbeorderte:

«Ich glaube, ich nehme doch das Gleiche wie der Herr. Für mich auch Fisch, bitte.»

«Sehr wohl, ist notiert», bemerkte der Kellner und ging wieder davon.

Nach einer Gesprächspause offenbarte Charles:

«Ich habe einen Entschluss gefasst: Ab jetzt mache ich alles so wie Sie.»

«Sie machen alles so wie ich?»

«Ja, Sie sind für mich so eine Art Mentor.»

«Wissen Sie, wenn Sie alles so machen wollen wie ich, da brauchen Sie nicht viel zu machen.»

«Einspruch. Ihr Jackett zum Beispiel. Ich denke, ich sollte das Gleiche tragen. Ich sollte allgemein das Gleiche tragen wie Sie. Sie haben einen einmaligen Stil. Das ist alles extrem durchdacht; man merkt, dass Sie nichts dem Zufall überlassen. Und bei den Frauen kommt das an. Hä, das kommt an, oder?»

«Öh ja, keine Ahnung. Ich kann Ihnen das Jackett ja mal leihen, wenn Sie möchten.»

«Ha! Das ist typisch für Ihre Art: die Liebenswürdigkeit in Person. Ich sage, mir gefällt Ihr Jackett, und schon wollen Sie mir es leihen. Da geht einem doch das Herz auf. Ich halte fest, ich habe im Leben nicht oft genug meine Jacketts verliehen. In Bezug auf meine Jacketts war ich immer ein unsäglicher Egoist.»

Markus schwante, dass er sagen konnte, was er wollte, es würde alles unweigerlich für genial befunden werden. Er sah sich einem Mann gegenüber, der ihn durch einen Filter der Bewunderung hindurch, um nicht zu sagen: durch einen Filter der tiefsten Verehrung betrachtete. Im Zuge seiner Recherchen bat Charles:

«Erzählen Sie mir mehr von sich.»

«Um ehrlich zu sein, denke ich gar nicht so viel über mich nach.»

«Ha! Da haben wir's! Mein Problem ist, dass ich zu viel nachdenke. Ich frage mich ständig, was die anderen von etwas halten. Ich sollte mich mehr in stoischer Gelassenheit üben.»

«Dazu müssten Sie nun Schwede sein.»

«Aha! Sehr lustig! Sie werden mir beibringen müssen, wie man so lustig wird. Was sind das für ausgeschlafene Antworten! Ich trinke auf Ihre Gesundheit! Darf ich Ihnen noch was einschenken?»

«Nein, ich glaube, ich hab schon genug getrunken.»

«Und welch eine Selbstbeherrschung! Nun gut, in diesem Punkt gestatte ich mir, es nicht so zu machen wie Sie. Ich genehmige es mir, ein wenig abzuweichen.»

Daraufhin erschien der Kellner mit den beiden Fischen und wünschte einen guten Appetit. Sie begannen, ihre Mahlzeit einzunehmen. Da sah Charles unvermittelt von seinem Teller auf:

«Ich bin ein richtiger Trottel. Ist ja lächerlich, die ganze Sache.»

«Wie?»

«Ich hasse Fisch.»

«Ach …»

«Und das Schlimmste kommt erst noch.»

«Ach ja?»

«Ich bin gegen Fisch allergisch.»

«…»

«Damit ist die Geschichte vom Tisch. Ich werde nie so sein wie Sie. Ich werde Nathalie nie für mich gewinnen. Alles wegen der verdammten Fische.»

92

Einige fachliche Erläuterungen zum Thema Fischallergien

Fischallergien kommen gar nicht so selten vor. Sie sind in Frankreich die am vierthäufigsten auftretende Allergieform. Sobald eine Fischallergie festgestellt wird, wirft dies die Frage auf, ob die Allergie gegen eine oder gegen mehrere Fischarten besteht. In der Praxis ist die Hälfte der Patienten, die an einer Allergie gegen eine bestimmte Fischart leiden, auch gegen andere Fischarten allergisch. Zur Diagnostizierung von Kreuzallergien sind Hauttests, und falls diese zu keinen befriedigenden Ergebnissen führen, Provokationstests (mit der jeweiligen Fischart) erforderlich. Um eine Antwort auf die Frage zu liefern, ob manche Fischarten eher dazu neigen, allergische Reaktionen hervorzurufen als andere, hat eine Forschergruppe zur Ermittlung von Kreuzreaktionen Vergleichstests mit neun Fischarten durchgeführt: mit dem Kabeljau, dem Lachs, dem Wittling, der Makrele, dem Thunfisch, dem Hering, dem Barsch, dem Butt und der Scholle. Daraus geht hervor, dass Thunfisch und Makrele (die beide der Familie der Scombridae angehören) am leichtesten verträglich sind, gefolgt von den Plattfischen wie Butt oder Scholle, die ebenfalls als leichtverträglich gelten können. Kabeljau, Lachs, Wittling, Hering und Barsch riefen hingegen beträchtliche

Kreuzreaktionen hervor, das heißt, wenn Sie nun gegen eine dieser Fischarten allergisch sind, besteht die hohe Wahrscheinlichkeit, dass Sie es auch gegen andere sind.

93

Nach der fischallergischen Enthüllung ging das Dinner in das Reich des Schweigens ein. Markus versuchte mehrmals, die Konversation wieder in Schwung zu bringen, doch vergeblich. Charles aß nicht, trank nur. Sie gaben das Bild eines alten Ehepaars ab, das sich nichts mehr zu sagen hat. Das sich in einer Art innerer Andacht dahintreiben lässt. Indes läuft gnädig die Zeit (und so vergehen mitunter ganze Jahre).

Als sie das Lokal verlassen hatten, musste Markus seinen Chef im Zaum halten. In dem Zustand konnte er nicht Auto fahren. Markus wollte ihn so schnell wie möglich in ein Taxi setzen. Er hatte es eilig, endlich einen Schlussstrich unter diesen qualvollen Abend zu ziehen. Doch, schlechte Neuigkeiten, die frische Luft weckte in Charles erneut die Lebensgeister. Er wollte noch etwas unternehmen.

«Markus, lassen Sie mich nicht allein. Ich möchte mich noch mit Ihnen unterhalten.»

«Aber Sie sagen doch schon seit einer Stunde keinen Ton mehr. Und außerdem sind Sie betrunken, fahren Sie lieber nach Hause.»

«Ach, jetzt hören Sie mal auf, den Vernünftigen zu spielen! Sie sind ja ein richtiger Langweiler! Wir trinken noch ein letztes Gläschen, und dann ist Schluss. Das ist ein Befehl!»

Markus hatte keine Wahl.

Sie fanden sich in einer Art Nachtlokal ein, in dem sich Leute fortgeschrittenen Alters lasziv aneinander rieben. Es war keine Tanzveranstaltung im eigentlichen Sinne, aber so ähnlich. Sie ließen sich auf einer rosa Sitzbank nieder und bestellten zwei Kräutertees. Hinter ihnen prangte ein gewagter Kunstdruck, der so etwas wie ein Stillleben darstellte, ein Grabesstillleben. Charles wirkte nun ruhiger. Doch schien es auch wieder abwärts mit ihm zu gehen. Ein unbeschreiblicher Überdruss legte sich über sein Gesicht. Er dachte an die verstrichenen Jahre zurück, an die Zeit nach der Tragödie, als Nathalie in die Firma zurückkehrte. Der Anblick dieser am Boden zerstörten Frau hatte ihm keine Ruhe gelassen. Wie können einen Details, winzige Gesten so prägen, dass diese flüchtigen Momente für eine ganze Epoche stehen? Nathalies Gesicht verfinsterte in der Erinnerung das Bild seiner beruflichen Karriere und das seiner Familie. Er hätte über Nathalies Knie ein Buch schreiben können und war andererseits nicht einmal imstande, den Namen des Lieblingssängers seiner Tochter zu nennen. Seinerzeit hatte er sich damit abgefunden. Er hatte begriffen, dass sie nicht bereit war für ein neues Leben. Doch im Grunde hatte er nicht aufgehört zu hoffen. Jetzt war ihm alles egal: Sein Leben erschien ihm erbärmlich. Er hatte ein beklemmendes Gefühl. Angesichts der Finanzkrise waren die Schweden nervös. Island hatte am Rande des

Bankrotts gestanden, und das hatte einige Sicherheiten über den Haufen geworfen. Er bekam auch zu spüren, dass der Unmut über die Manager wuchs. Vielleicht würde man ihn beim nächsten Tarifkonflikt zusammen mit anderen Führungskräften einsperren. Und dann war da noch seine Frau. Die ihn nicht verstand. Sie lag ihm so oft mit finanziellen Angelegenheiten in den Ohren, dass er sie schon mal mit seinen Gläubigern verwechselte. Das alles vermengte sich zu einem faden Kosmos, in dem es nur noch vereinzelte Überreste von Frauen gab, in dem keine mehr Zeit hatte, ihn mit dem Klacken ihrer hohen Absätze zu beglücken. Diese Stille, die Tag für Tag eintrat, war ein Vorbote der ewigen, der Totenstille. Das war der Grund, weshalb der Gedanke daran, dass Nathalie nun mit einem anderen Mann zusammen war, ihn den Boden unter den Füßen verlieren ließ …

Er sprach ganz offen von alldem. Markus sah ein, dass er auf Nathalie zu sprechen kommen musste. Der Vorname einer Frau, und die Nacht scheint kein Ende nehmen zu wollen. Doch was hatte er schon über sie zu berichten? Er kannte sie ja kaum. Eine Möglichkeit war, Charles kurzerhand zu eröffnen: « Sie täuschen sich … man kann nicht wirklich behaupten, dass wir zusammen sind … Bisher ist das eine Sache von drei oder vier Küssen gewesen … Und wenn Sie wüssten, auf welch eigenartige Weise es dazu gekommen ist … », doch über seine Lippen drang kein Laut. Es fiel ihm schwer, von ihr zu reden, das wurde ihm in diesem Augenblick bewusst. Der Chef hatte den Kopf auf seine Schulter gelegt und ermunterte ihn, sich seine Nathalie-Geschichte von der Seele zu reden. Also gab Markus sich Mühe, nun seine Version zum Besten zu geben. Seine Lesart sämtlicher Nathalie-haltigen Momente. Eine Vielzahl von Erinnerungen strömte plötzlich auf ihn ein, damit hatte er gar nicht gerechnet. Flüchtige Augenblicke, die schon lange zurücklagen, die sich weit vor dem Kussimpuls zugetragen hatten.

Da war ihre erste Begegnung. Beim Vorstellungsgespräch, das Nathalie mit ihm geführt hatte. Sein unverzüglicher Gedanke war: «Mit so einer Frau kann ich nicht arbeiten.» Er hatte keine gute Figur abgegeben, doch sie war angewiesen worden, einen Schweden anzustellen. Markus hatte es also einer Quotenregelung zu verdanken, dass er genommen wurde. Er sollte es nie erfahren. Sein erster Eindruck hatte ihn monatelang verfolgt. Er rief sich noch einmal ins Gedächtnis, wie sie ihre Haare aus dem Gesicht gestrichen und sich hinters Ohr geschoben hatte. Er war fasziniert gewesen von dieser Bewegung. Bei den Teambesprechungen hatte er gehofft, sie würde es wieder tun, aber nein, die Anmut dieser Geste blieb einmalig. Er erinnerte sich auch an andere Gesten, wenn sie etwa ihre Unterlagen an den Rand des Schreibtischs legte, oder sich rasch die Lippen befeuchtete, bevor sie trank, oder zwischen zwei Sätzen ausgiebig Luft holte, oder wie sie manchmal das *s* aussprach, hauptsächlich wenn der Tag sich dem Ende zu neigte, und ihr Höflichkeitslächeln, ihr Dankeschönlächeln, und ihre hohen Absätze, ach ja, ihre hohen Absätze, die ihre Waden betonten. Aber überall war diese entsetzliche Auslegeware, die ihn eines Tages sogar dahin gebracht hatte, sich zu fragen: «Was war das für ein Idiot, der auf die Idee gekommen ist, die Auslegeware zu erfinden?» Und noch viele andere Dinge kamen ihm in den Sinn, und es wurden immer mehr. Ja, jetzt fiel ihm alles wieder ein, und Markus stellte fest, dass sich allerhand Begeisterung in ihm angestaut hatte. Jeder in ihrem Dunstkreis verbrachte Tag war die glorreiche, wenn auch schleichende Eroberung eines wahren Herzensreichs gewesen.

Wie lange hatte er von ihr gesprochen? Er wusste es nicht. Er drehte den Kopf zur Seite und wurde gewahr, dass Charles eingedöst war. Wie ein Kind, das beim Märchenerzählen einschläft. Markus umsorgte es zart und deckte es mit seinem Jackett zu, damit ihm nicht kalt wurde. In der wiedereingekehrten Stille betrachtete er dieses Kind, von dem er geglaubt hatte, dass es mächtig war. Er, der so oft neidvoll auf das Leben der anderen geblickt hatte, den so oft das Gefühl, dass seine Lunge in einem Trichter eingeschlossen war, bedrängt hatte, er erkannte nun, dass es Leute gab, die noch viel unglücklicher waren als er. Dass er sogar gerne seine tägliche Routine absolvierte. Er wünschte sich, Nathalie werde seine Liebe erwidern, aber wenn nicht, würde er nicht auseinanderfallen. Er mochte gelegentlich hektisch werden und empfindlich sein, auf eine gewisse Art war er jedoch eine starke Natur. Einigermaßen stabil und ausgeglichen. Bei ihm lief nicht jeder Tag Gefahr, in einer Katastrophe zu enden. Wozu sich aufregen, wo doch alles absurd ist?, dachte er von Zeit zu Zeit, ein Gedanke, der sicherlich leicht auf seine Cioran-Lektüre zurückzuführen war. Vielleicht macht das Wissen um den Nachteil, geboren zu sein, das Leben schöner. Der

Anblick des schlafenden Charles festigte in ihm die Sicherheit, die noch weiter anschwellen sollte.

Zwei Damen um die fünfzig näherten sich und wollten ein Gespräch beginnen, doch Markus gab ihnen ein Zeichen, dass sie leise sein sollten. Dabei war das doch ein Lokal, wo auch Musik gespielt wurde. Endlich richtete Charles sich wieder auf, überrascht, inmitten dieses heimeligen Rosas zu erwachen. Er bemerkte Markus, der seinen Schlaf gehütet hatte, sowie das Jackett, mit dem er zugedeckt war. Er versuchte zu lächeln, doch schon beim Ansatz einer Bewegung spürte er die Kopfschmerzen, die ihn plagten. Zeit zu gehen. Draußen graute schon der Morgen. Zusammen erreichten sie das Büro. Als sie aus dem Aufzug stiegen, gaben sie sich zum Abschied die Hand.

94

Später am Vormittag machte sich Markus in Richtung Kaffeeautomat auf. Ihm fiel gleich auf, dass die anderen Angestellten vor ihm zurückwichen. Er war Moses, vor dem sich das Rote Meer teilte. Vielleicht erscheint die Metapher etwas hochgegriffen. Doch man muss sich vor Augen halten, was vor sich ging. Innerhalb von vierundzwanzig Stunden hatte der so zurückhaltende und farblose Markus, der, dem Vernehmen nach, nichts Besonderes war, eine der schönsten, wenn nicht die schönste Frau des Hauses ausgeführt (und, um diese Heldentat gebührend zu würdigen: Diese Frau galt als unverführbar), um anschließend mit dem Chef essen zu gehen. Es war sogar beobachtet worden, wie er am Morgen zusammen mit dem Chef ins Büro gekommen war, was weitere einschlägige Gerüchte nährte. Viel auf einmal im Leben eines Mannes. Alle begrüßten ihn und warteten mit einem «Wie geht's denn heute so?» hier und einem «Alles palетti mit der 114?» dort auf. Plötzlich interessierten sich alle für diese verdammte Akte, für jeden Atemzug, den er tat. Im Laufe des Vormittags wurde Markus fast schlecht davon. Dieser Umschwung war zu heftig, dazu gesellte sich die durchgemachte Nacht. Er hatte den Eindruck, im Schnelldurchlauf von ein paar Minuten nachholen zu müssen, was er in Jahren der Anonymität versäumt hatte. Natürlich konnte das alles nicht mit rechten Dingen zugehen. Da steckte doch etwas dahinter, an der Sache musste etwas faul sein. Es hieß, er sei ein Agent des schwedischen Geheimdienstes, der Sohn des größten Aktionärs, angeblich schwer krank, ein allseits bekannter Pornodarsteller in Schweden, er sei auserwählt, um auf dem Mars das Menschengeschlecht zu repräsentieren, es hieß, er sei ein enger Vertrauter von Natalie Portman.

95

Statement von Isabelle Adjani anlässlich der Gerüchte, denen zufolge sie an AIDS litt bzw. für tot erklärt wurde, in den 20-Uhr-Nachrichten vom 18. Januar 1987 gegenüber dem Moderator Bruno Masure

«Wenn ich heute hierherkomme und sage: ‹Ich bin nicht krank›, ist es gerade so, als würde ich sagen: ‹Ich habe kein Verbrechen begangen›. Das ist schrecklich für mich.»

96

Nathalie und Markus trafen sich zum Mittagessen. Er war müde, aber seine Augen standen weit offen. Sie konnte kaum glauben, dass das Essen die ganze Nacht gedauert haben sollte. Vielleicht ergaben sich mit ihm die Dinge immer so? Alles kam unvorhergesehen. Das war ja zum Lachen. Andererseits fand sie keinerlei Geschmack an dem Wirbel, der ihrer beider wegen veranstaltet wurde. Was sie da gerade miterleben musste, fand sie bedenklich, war ihr peinlich. Das schäbige Gebaren der Leute erinnerte sie an die Zeit nach

François' Tod. An die bedrückenden Beileidsbekundungen. Wahrscheinlich war es nur so eine fixe Idee, doch sie sah darin so etwas wie die Relikte der Kollaboration. Wenn sie sich das Verhalten des ein oder anderen vor Augen hielt, fiel ihr nur ein: «Wenn es zu einem neuen Krieg käme, wäre alles wieder genau das Gleiche.» Ihr Empfinden mochte übersteigert sein, doch im Angesicht der sich in Windeseile streuenden Propaganda, gepaart mit einigermaßen bösen Absichten, spürte sie den abscheulichen Nachhall dieser dunklen Epoche.

Sie kapierte nicht, warum diese Geschichte mit Markus derart hohe Wellen schlug. Lag es an ihm? An seiner Ausstrahlung? War das die Art, wie man einer Verbindung begegnete, die nicht auffallend rational erschien? Aber das war doch Unsinn: Gibt es etwas Unlogischeres als Zuneigung? Seit ihrem letzten Gespräch mit Chloé ließ Nathalies Wut gar nicht mehr nach. Für wen hielten sich denn alle? Hinter jedem flüchtigen Blick witterte sie das Böse.

«Jetzt haben wir uns ein paar Mal geküsst, und es ist, als würde ich dafür von allen Seiten gehasst», erklärte sie.

«Und ich werde von allen Seiten verehrt!»

«Das ist ja witzig …»

«Zerbrich dir nicht den Kopf. Schau dir mal die Karte an. Möchtest du zur Vorspeise lieber den Roquefort auf Chicorée oder lieber die Tagessuppe? Das sind die Dinge, auf die es ankommt.»

Er hatte bestimmt recht. Trotzdem gelangte sie nicht dahin, sich zu entspannen. Sie verstand selbst nicht, warum sie so heftig reagierte. Vielleicht brauchte sie Zeit, um all das, was mit den in ihr aufkeimenden Gefühlen zusammenhing, zu ordnen. Diese Gefühle waren schwindelerregend, und Nathalie wandelte sie um in Wut. In Wut auf alle und auf Charles im Besonderen:

«Weißt du, je länger ich darüber nachdenke, desto schandhafter kommt mir Charles' Benehmen vor.»

«Ich glaube, er liebt dich, sonst nichts.»

«Aber deswegen muss er doch nicht vor dir den Hanswurst spielen.»

«Beruhige dich, ist nicht so schlimm.»

«Ich kann mich aber nicht beruhigen, ich kann nicht ...»

Nathalie kündigte an, sie werde nach dem Essen zu Charles gehen, um ihm zu sagen, dass er aufhören solle mit seinem Theater. Markus wollte ihrer Entschiedenheit lieber nicht in die Quere kommen. Das kurzzeitige Schweigen, in das er verfiel, brach Nathalie mit einem Eingeständnis:

«Ich bin genervt, verzeih ...»

«Macht nichts. Aber weißt du, die Zeitung von heute interessiert morgen niemanden mehr ... In zwei Tagen ist das kalter Kaffee ... Es gibt jetzt eine neue Sekretärin, und ich glaube, Berthier ist ganz spitz auf sie ... Du siehst also ...»

«Das wird keine Schlagzeilen machen. Der ist doch hinter allem her, was zwei Beine hat.»

«Stimmt auch wieder. Aber mittlerweile gelten andere Regeln. Bedenke, er hat kürzlich die Buchhalterin geheiratet ... Das heißt, da könnte schon eine kleine Klatschstory dabei herausspringen.»

«Ich glaube, ich komme mir verloren vor.»

Dieser Satz kam unerwartet. Vollkommen übergangslos. Markus griff instinktiv nach einem Stück Brot und begann, es in seiner Hand zu zerkrümeln.

«Was machst du da?», wollte Nathalie wissen.

«Ich mach's wie in dem Märchen vom kleinen Däumling. Wenn du verloren bist, musst du auf deinem Weg Brosamen fallen lassen. So kannst du deinen Weg wiederfinden.»

«Meinen Weg, der mich hierher führt … zu dir, wie ich annehme?»

«Genau. Wenn ich nicht zwischendurch Hunger kriege und beschließe, die Brosamen aufzuessen.»

97

Nathalies Vorspeisenwahl beim Mittagessen mit Markus

Tagessuppe*

* Detaillierte Informationen bezüglich der genauen Beschaffenheit dieser Suppe konnten leider nicht eingeholt werden.

98

Charles war nicht mehr der Mann, der sich mit Markus die Nacht um die Ohren geschlagen hatte. Im Laufe des Vormittags war er wieder zur Besinnung gekommen, und es tat ihm leid, wie er sich aufgeführt hatte. Er fragte sich immer noch, wie er angesichts der anderen Seite des Schweden so hatte die Fassung verlieren können. Er mochte vielleicht nicht zu seiner höchsten Entfaltung gelangt sein, ihm mochten allerlei Ängste im Nacken sitzen, aber das war noch lange kein Grund, sich so zu benehmen. Und das Ganze auch noch vor Leuten, die alles bezeugen konnten. Er schämte sich. Die Geschichte würde ihn in die Arme der Gewalt treiben. So wie ein Liebhaber nach einer nicht übermäßig ruhmreichen sexuellen Darbietung durchaus einmal aggressiv werden kann. In ihm formierten sich sämtliche Kampfkomponenten. Er hob zu ein paar Liegestützen an, doch just in diesem Augenblick trat Nathalie ins Zimmer. Er rappelte sich auf:

«Du hättest auch klopfen können», sagte er barsch.

Sie ging auf ihn zu, so wie sie auf Markus zugegangen war, um ihn zu küssen. Doch diesmal holte sie zu einer Ohrfeige aus.

«So, das hätten wir schon mal geschafft.»

«Bei dir ist wohl 'ne Schraube locker! Das ist ein Entlassungsgrund.»

Charles befühlte sein Gesicht. Und wiederholte bebend seine Drohung.

«Und ich werde dich belangen wegen sexueller Belästigung. Soll ich dir noch mal die Mails zeigen, die du mir geschrieben hast?»

«Aber warum bist du so böse mit mir? Ich habe dich immer respektvoll behandelt.»

«Ja, genau. Zieh nur deine Nummer ab. Du wolltest ja bloß mit mir schlafen.»

«Also ich versteh echt nicht, was du willst.»

«Und ich versteh nicht, was du gestern mit Markus getrieben hast.»

«Ich werd doch wohl noch mit einem Angestellten Essen gehen dürfen!»

«Und damit ist's jetzt aber genug! Ist das klar?», schrie sie.

Das hatte ihr wahnsinnig gutgetan, sie hätte noch weitertoben können. Ungeheuerlich, wie sie sich zur Wehr setzte. Indem sie so entschieden ihr Revier verteidigte, verriet sie auch ihre Unsicherheit. Diese Unsicherheit, die sie noch immer nicht in Worte zu fassen vermochte. Wenn das Herz spricht, schweigt der *Larousse*. Und vielleicht war das der Grund, weshalb Charles in dem Moment, als Nathalie an ihren Arbeitsplatz zurückgekehrt war, aufgehört hatte, Begriffserklärungen zu lesen. Alles war gesagt, es galt, sich durch primitive Verhaltensweisen hervorzutun.

Als sie den Raum verlassen wollte, sagte Charles:

«Ich bin mit ihm Essen gegangen, weil ich ihn kennenlernen wollte … weil mich interessiert hat, wieso du dir einen so hässlichen und belanglosen Kerl ausgesucht hast. Weißt du, ich kann verstehen, dass du mir einen Korb gibst, aber das werde ich nie verstehen …»

«Halt die Klappe!»

«Glaub bloß nicht, dass ich jetzt die Sache auf sich beruhen lasse. Ich hab gerade mit den Gesellschaftern gesprochen. Deinem lieben Markus wird man jeden Augenblick ein äußerst attraktives Angebot unterbreiten. Es wäre halsbrecherisch, ein solches Angebot auszuschlagen. Der klitzekleine Haken ist, dass er nach Stockholm muss, um die Stelle anzutreten. Aber wenn man sich anschaut, was für Zulagen er bekommt, denke ich, dass sein Zögern von vorübergehender Natur sein muss.»

«Das ist ja rührend. Vor allem, da mich nichts daran hindert, zu kündigen und mit ihm zu gehen.»

«Das kannst du nicht machen! Ich verbiete es dir!»

«Du tust mir echt leid …»

«Das darfst du auch François nicht antun!»

Nathalie starrte ihn an. Er wollte sich augenblicklich entschuldigen, er wusste, er war zu weit gegangen. Doch er war zu keiner Äußerung mehr fähig. Sie ebenso wenig. Dieser letzte Satz hatte eine Lähmung erzeugt. Schließlich ging sie langsam, ohne ein weiteres Wort, aus dem Zimmer. Allein, in der Gewissheit, sie endgültig verloren zu haben, stand er da. Er trat ans Fenster und gaffte in die Leere, die sich unter ihm auftat, und spürte eine ungeheuere Versuchung.

99

Als Nathalie wieder an ihrem Schreibtisch saß, warf sie einen Blick in ihren Terminkalender. Sie griff zum Telefon, setzte sich mit Chloé in Verbindung und trug ihr auf, sämtliche geschäftlichen Besprechungen abzusagen.

«Aber das geht überhaupt nicht! In einer Stunde ist der Ausschuss.»

«Ja, ich weiß», fuhr Nathalie dazwischen. «Na gut, ich melde mich später noch mal.»

Sie wusste nicht mehr weiter und legte den Hörer auf. Der Ausschuss war wichtig, sie hatte sich lange darauf vorbereitet. Doch nach dem, was sich gerade abgespielt hatte, war sie nicht mehr in der Lage, hier noch länger zu arbeiten, das stand fest. Sie dachte daran, wie sie zum ersten Mal dieses Gebäude betreten hatte. Sie war damals noch so jung. Sie erinnerte sich an die ersten Monate, an François' Ratschläge. An seinem Tod hatte sie dies vielleicht am schwersten verkraftet: Dass es ihre Gespräche von heute auf morgen plötzlich nicht mehr gab. Diese Momente, in denen der eine zum Leben des anderen Stellung nimmt, in denen man sich gegenseitig bespricht. Sie stand allein am Rande des Abgrunds und merkte, wie ihre Kräfte schwanden. Seit drei Jahren spielte sie die schwülstigste Komödie, die man sich nur vorstellen konnte. Im Grunde war sie sich nie sicher gewesen, ob sie weiterleben wollte. Wenn sie sich diesen Sonntag ins Gedächtnis rief, an dem ihr Mann ums Leben gekommen war, plagten sie immer noch so viele Schuldgefühle, absurde Schuldgefühle. Sie hätte ihn davon abhalten müssen, ihn am Laufen hindern sollen. Ist das nicht die Aufgabe einer Frau? Dafür zu sorgen, dass die Männer nicht mehr laufen. Sie hätte ihn zurückhalten, ihn küssen, ihn lieben müssen. Sie hätte das Lesen aufhören und ihr Buch zur Seite legen müssen und nicht zulassen dürfen, dass er alles vernichtete.

Ihre Wut hatte sich inzwischen gelegt. Noch einen Augenblick betrachtete sie ihren Schreibtisch, dann packte sie eilig ein paar Sachen in ihre Tasche. Sie fuhr den Computer herunter, räumte ihre Schubladen auf und verschwand. Sie war froh, dass ihr niemand begegnete, dass sie nichts zu sagen brauchte. Ihre Flucht musste lautlos vonstattengehen. Sie stieg in ein Taxi, sagte «zur Gare Saint-Lazare», wo sie einen Fahrschein kaufte. Als der Zug abfuhr, begann sie zu weinen.

100

Die von Nathalie gewählte Reiseverbindung nach Lisieux

Abfahrt von Paris Saint-Lazare: 16 Uhr 33
Ankunft in Lisieux: 18 Uhr 02

101

Nathalies Verschwinden führte umgehend dazu, dass die Abläufe der gesamten Abteilung ins Stocken gerieten. Es galt, die entscheidende Sitzung dieses Quartals zu leiten. Sie war gegangen, ohne irgendwelche Anweisungen zu hinterlassen, ohne irgendjemandem Bescheid zu geben. Auf den Gängen kam es zu Gezeter, der ein oder andere kritisierte ihre mangelnde Professionalität. Binnen weniger Minuten verspielte sie kläglich all ihren Kredit: Es war der Triumph des Augenblicks über ein in langen Jahren erworbenes Ansehen. Da alle über ihre Verbindung zu Markus auf dem Laufenden waren, wandte man sich immerzu an ihn: «Weißt du, wo sie ist?» Er musste gestehen, es nicht zu wissen. Und das war fast so, als würde er damit sagen: «Nein, ich stehe in keiner besonderen Beziehung zu ihr. Sie hat mich nicht in ihre Irrungen eingeweiht.» Das Rechenschaft-Ablegen-Müssen war mühselig. Die neuesten Vorkommnisse sollten ihn das zuletzt gewonnene Prestige kosten. Als fiele allen unvermittelt wieder ein, dass er doch nicht so wichtig war. Man fragte sich sogar, wie man auch nur einen Moment hatte glauben können, er sei ein enger Vertrauter von Natalie Portman.

Mehrmals hatte er versucht, sie zu erreichen. Vergeblich. Ihr Telefon war aus. Er konnte sich nicht auf die Arbeit konzentrieren. Er drehte sich im Kreise. In seinem winzigen Büro ging das schnell. Was tun? Das Selbstvertrauen der letzten Tage begann geschwind zu bröckeln. In seinem Kopf lief immer wieder dieses Mittagessen ab. Er erinnerte sich, so etwas wie «Hauptsächlich kommt es auf die Wahl der richtigen Vorspeise an» von sich gegeben zu haben. Wie konnte man nur so dumm daherreden? Man brauchte nach gar keiner Erklärung zu suchen. Er war der Situation eben nicht gewachsen gewesen. Sie hatte doch noch zu ihm gesagt, dass sie sich verloren vorkam, und er hatte auf seiner Wolke gesessen, auf der ihm nichts Besseres eingefallen war, als ein paar leichtfertige Phrasen fallen zu lassen. Der kleine Däumling! In was für einer Welt lebte er überhaupt? Jedenfalls in keiner, in der eine Frau ihm ihre Adresse hinterließ, bevor sie die Flucht ergriff. Das war natürlich alles sein Fehler. Er schlug die Frauen in die Flucht. Am Ende würde Nathalie noch Nonne werden. Nachdem sie in Züge und Flugzeuge gestiegen war, um nicht mehr die gleiche Luft wie er atmen zu müssen. Er fühlte sich schlecht. Er fühlte sich schlecht, weil er sich schlecht benommen hatte. Nichts erzeugt höhere Schuldgefühle als das Gefühl der Verliebtheit. Das geht so weit, dass man sich für sämtliche Wunden des anderen verantwortlich glaubt. Im gleichen Wahn kommen wir in einer Art demiurgischen Anwandlung dahin zu denken, dass das Herz des anderen nur für unser Herz schlägt. Dass sich das Leben nur auf den engen Bahnen um die Lungengefäße abspielt. Markus und Nathalie lebten in der gleichen Welt. In einer heilen ungebundenen Welt, in der er zugleich für alles und für nichts Verantwortung trug.

Und so kam ihm die heile Welt auch wieder in den Sinn. Allmählich gelang es ihm, seine Gedanken unter Kontrolle zu bekommen. Schwarz und Weiß in Einklang zu bringen. Er erinnerte sich der zarten Momente, die sie miteinander verbracht hatten. Wahrlich zart waren diese Momente gewesen und konnten nicht einfach so ungeschehen gemacht werden. Die Angst, Nathalie zu verlieren, hatte seinen Verstand benebelt. Diese Angst war seine Schwäche, und diese Schwäche machte gleichzeitig seinen Charme aus. Wenn man so die Schwächen aneinanderreiht, gelangt man irgendwann zu einer Stärke. Er wusste nicht, wie es jetzt weitergehen sollte, er hatte keine Lust zu arbeiten, er hörte auf, das Leben unter rationalen Gesichtspunkten zu betrachten. Er wollte verrückt sein, seinerseits die Flucht ergreifen, in ein Taxi steigen und den erstbesten Zug nehmen.

102

Da wurde er zum Leiter der Personalabteilung gerufen. Es wollten ihn wirklich alle sprechen. In vollendeter Sorglosigkeit machte er sich auf. Seine Furcht vor Autoritätspersonen war dahin. Seit ein paar Tagen war alles nur noch ein Spiel. Monsieur Bonivent hieß ihn mit einem breiten Lächeln willkommen. Markus' augenblicklicher Gedanke war: Welch tödliches Lächeln. Für einen Leiter einer Personalabteilung kommt es darauf an, dass er den Anschein zu erwecken vermag, die Karriere eines Beschäftigten betreffe ihn wie seine eigene. Markus durfte sich davon überzeugen, dass Monsieur Bonivent der richtige Mann am richtigen Platz war:

«Oh, Monsieur Lundell … freut mich, Sie zu sehen. Wissen Sie, ich verfolge Ihr Treiben schon seit einer Weile …»

«Ach ja?», gab Markus zurück, für den (aus gutem Grund) feststand, dass dieser Monsieur eben erst von seiner Existenz erfahren hatte.

«Selbstverständlich … ich beobachte die Entwicklung jedes Angestellten … und was Sie angeht, muss ich gestehen, dass ich ein richtiger Fan von Ihnen geworden bin. Sie machen keinen Wirbel, stellen nie irgendwelche Forderungen. So einfach ist das, wenn ich nicht ein bisschen hellhörig wäre, dann wäre mir, na ja, vielleicht gar nicht aufgefallen, dass es Sie in unserem Betrieb überhaupt gibt …»

«Aha …»

«Von Mitarbeitern wie Ihnen kann jeder Unternehmer nur träumen.»

«Danke. Aber warum wollten Sie mich denn sprechen?»

«Ha, das ist typisch für Ihre Art! Effizienz, Effizienz! Keine Zeit verlieren! Wenn doch nur alle so wären wie Sie!»

«Nun?»

«Also gut … ich werde Ihnen die Lage frank und frei schildern: Die Unternehmensleitung bietet Ihnen eine Stelle als Teamleiter an. Dazu eine beträchtliche Gehaltserhöhung, versteht sich von selbst. Sie leisten einen wesentlichen Beitrag zur strategischen Neupositionierung unseres Konzerns … und ich darf Ihnen mitteilen, dass mich diese Beförderung besonders freut, da ich den Vorgang seit einiger Zeit aktiv unterstützt habe.»

«Danke … Mir fehlen die Worte.»

«Selbstverständlich werden wir Ihnen bei all den mit so einer Versetzung verbundenen verwaltungstechnischen Angelegenheiten unter die Arme greifen.»

«Versetzung?»

«Ja. Arbeitsort ist Stockholm. Bei Ihnen zu Hause!»

«Das kommt für mich nicht infrage, dass ich nach Schweden zurückgehe. Lieber arbeitslos als in Schweden.»

«Aber …»

«Kein Aber …»

«Aber doch, ich fürchte, Sie haben keine Wahl.»

Markus machte sich nicht die Mühe zu antworten und verließ wortlos das Büro.

103

Die Arbeitsgemeinschaft Paradoxie

Die Gesellschaft der Personalabteilungsleiter* den im Personalbereich Beschäftigten näherzubringen, die noch nicht Mitglied der Gesellschaft sind, das war das Ziel, mit dem die

* ANDRH (Association nationale des directeurs de ressources humaines), 91 rue de Miromesnil, 75008 Paris

Arbeitsgemeinschaft Paradoxie Ende 2003 ins Leben gerufen wurde. Einmal im Monat hält sie im Haus des Personals eine Gesprächsrunde ab, bei der mit Personalabteilungsleitern über die widerstreitenden Interessen, die innerhalb eines Unternehmens auftreten können, diskutiert wird. Diese monatlichen Begegnungen gerieren sich in intelligenter Weise ikonoklastisch: In einem professionellen, aber zwanglosen Rahmen plaudert man über ein heikles Thema. Humor ist willkommen, dummes Gewäsch nicht!*

104

In der Regel ließ Markus sich Zeit, wenn er die Gänge entlanglief. Diese Wege waren für ihn immer ein Päuschen gewesen. Er konnte ohne Weiteres aufstehen und dabei die Absicht hegen, sich «ein bisschen die Beine [zu] vertreten», so wie andere hinausgingen, um eine Zigarette zu rauchen. Doch nun war es vorbei mit der Nonchalance. Er spurtete, was einen reichlich ungewohnten Anblick bot. Als wäre er von Rage getrieben. Als wäre ihm ein auffrisierter Dieselmotor eingepflanzt worden. Zumindest irgendein Teil war ihm wohl eingesetzt worden: Schließlich hatte man ihn an

* Tagesordnung am Dienstag, 13. Januar 2009 (18 Uhr 30 – 20 Uhr 30): «Lob und Anerkennung in Krisenzeiten: Erst ich oder erst die anderen?»

empfindlicher Stelle getroffen, an den Nervenleitungen, die direkt mit dem Herzen verbunden sind.

Er stürmte ins Zimmer seines Chefs. Als Charles seinen Angestellten erblickte, fasste er sich unwillkürlich an die Wange. Markus baute sich in der Mitte des Raums auf, mit seiner Wut an sich haltend. Charles gab sich innerlich einen Ruck:

«Wissen Sie, wo sie steckt?»

«Nein, ich weiß es nicht. Ich kann die Frage nicht mehr hören. Ich weiß es nicht.»

«Ich habe gerade mit verschiedenen Kunden telefoniert. Sie sind alle außer sich. Kaum zu glauben, was sie uns da antut!»

«Ich glaube, ich kann sie sehr gut verstehen.»

«Was wollen Sie von mir?»

«Ich habe Ihnen zwei Dinge mitzuteilen.»

«Schnell. Ich bin in Eile.»

«Erstens, ich lehne Ihr Stellenangebot ab. Das ist eine ganz erbärmliche Nummer von Ihnen. Ich frage mich, wie Sie sich selbst noch im Spiegel ansehen können.»

«Wie kommen Sie darauf, dass ich mich im Spiegel ansehe?»

«Ach, ist mir doch schnuppe, ob Sie sich im Spiegel ansehen oder nicht.»

«Und zweitens?»

«Ich kündige.»

Charles war verblüfft, wie rasch dieser Mann seine Konsequenzen zog. Er hatte keine Sekunde gezögert. Er lehnte das Angebot ab und reichte seine Kündigung ein. Wie kam es, dass er mit der Situation dermaßen schlecht umgehen konnte? Sei's drum. Vielleicht hatte er, Charles, es so gewollt? Dass sie beide das Weite suchten, mitsamt ihrer bedauernswerten Affäre. Charles ließ Markus weiter nicht aus den Augen, dessen Gesichtszüge allerdings keine Schlüsse zuließen. Auf Markus' Gesicht lag nämlich eine zur Maske erstarrte Wut, die jeglichen erkennbaren Ausdruck kaschierte. Dennoch kam er auf ihn zu, ganz langsam, aber ungemein entschlossen. Als werde er von einer unbekannten Macht getragen. Sodass Charles es unweigerlich mit der Angst zu tun bekam, mit gewaltiger Angst.

«Da Sie jetzt nicht mehr mein Chef sind ... kann ich ja ...»

Markus überließ es seiner Faust, den Satz zu Ende zu bringen. Es war das erste Mal, dass er jemandem einen Haken versetzte. Und er bedauerte, dass er das nicht schon eher getan hatte. Dass er zu oft zu Worten gegriffen hatte, um Situationen zu bereinigen.

«Bei Ihnen ist wohl 'ne Schraube locker! Sie spinnen doch!», schrie Charles.

Markus knöpfte sich ihn erneut vor und holte zu einem weiteren Schlag aus. Verängstigt wich Charles zurück. Er kauerte in einer Ecke seines Büros. Und nachdem Markus gegangen war, verharrte er noch geraume Zeit in dieser Stellung.

105

Was im Leben des Muhammad Ali am 29. Oktober 1960 geschah

Er gewann in Louisville seinen ersten Profiboxkampf gegen Tunney Hunsaker nach Punkten.

106

Nachdem Nathalie in Lisieux aus dem Zug gestiegen war, nahm sie sich einen Mietwagen. Es war unheimlich lange her, dass sie zuletzt Auto gefahren war. Sie fürchtete, sich nicht mehr an die Abläufe zu erinnern. Das Wetter tat das seine dazu, es fing an zu regnen. Doch sie fühlte sich in dem Moment so matt, dass nichts und niemand sie erschrecken konnte. Immer schneller raste sie über die schmalen Landstraßen und sagte nebenbei der Tristesse *bonjour*. Der Regen behinderte ihre Sicht; streckenweise sah sie fast gar nichts mehr.

Da geschah etwas. Es war nur ein kurzes Aufblitzen, während sie so dahinfuhr. Vor ihr erschien die Szene, wie sie Markus grundlos und unmotiviert geküsst hatte. Sie hatte in dem Augenblick, als dieses Bild vor ihr auftauchte, nicht an ihn gedacht. Weit gefehlt. Es war einfach plötzlich da gewesen. Sie begann, sich ihre gemeinsam verbrachten Momente ins Gedächtnis zu rufen. Während sie immer noch weiterfuhr, tat es ihr allmählich leid, dass sie ihm nichts gesagt hatte, dass sie so mir nichts, dir nichts davongefahren war. Sie hatte keine Ahnung, warum sie daran gar nicht gedacht hatte. Sie hatte eben Hals über Kopf die Beine unter den Arm genommen. Es war wohl zum ersten Mal vorgekommen, dass sie das Büro auf diese Art verlassen hatte. Ihr war klar, sie würde niemals dorthin zurückkehren, ein Kapitel ihres Lebens war hiermit abgeschlossen. Zeit, über die Landstraßen zu tuckern. Sie beschloss dennoch, an einer Tankstelle zu halten. Sie stieg aus dem Wagen und sah sich um. Die Gegend sagte ihr nichts. Wahrscheinlich hatte sie sich verfahren. Es wurde dunkel, alles schien wie ausgestorben. Und der Regen vollendete das Triptychon dieses klassischen Bilds der Verzweiflung. Sie schickte Markus eine SMS. Bloß um ihm mitzuteilen, wo sie war. Zwei Minuten später erhielt sie eine SMS zurück: «Komme sofort. Steige in den erstbesten Zug. Bin gleich dort. Hoffe, du bist vor Ort.» Und dann kam gleich eine zweite Nachricht: «Schön, wie sich das alles reimt.»

107

Auszug aus der Novelle
Der Kuss *von Guy de Maupassant*

> «Weißt du, woher unsere wirkliche Macht rührt? Vom Kuss, vom Kuss allein! (...) Dennoch ist der Kuss nur ein Vorwort.»

108

Markus sprang aus dem Zug. Auch er war mir nichts, dir nichts abgefahren, ohne irgendjemandem etwas davon zu sagen. Sie würden sich wie zwei Flüchtlinge gegenüberstehen. Er sah sie reglos am anderen Ende der Bahnhofshalle stehen. Bedächtig begann er, auf sie zuzugehen, etwa so wie in einem Film. Man konnte sich bequem die Musik zu dieser Szene vorstellen. Oder auch Stille. Ja, es sollte Stille herrschen. Nur das Geräusch ihres Atems. Man könnte fast die Trostlosigkeit der Kulisse übersehen. Salvador Dalí hätte aus dem Bahnhof in Lisieux niemals Inspiration geschöpft. Er war kahl und nüchtern. Markus entdeckte ein Plakat, das auf ein

Museum zu Ehren von Theresia von Lisieux hinwies. Er ging auf Nathalie zu und dachte: «Sieh an, schon witzig, und ich hab immer gedacht, Lisieux ist der Familienname …» Ja, das dachte er wirklich. Und Nathalie stand ganz dicht bei ihm. Mit diesem Mund, der ihn geküsst hatte. Doch ihr Gesicht war verschlossen. Es glich dem Bahnhof von Lisieux.

Sie gingen zum Auto. Nathalie nahm auf der Fahrerseite Platz, und Markus setzte sich auf den Beifahrersitz. Sie ließ den Motor an. Sie hatten immer noch kein Wort gesprochen. Sie waren wie zwei Teenager, die keine Ahnung haben, was man beim ersten Rendezvous redet. Markus wusste weder, wo er sich befand, noch, wohin die Reise ging. Er saß an Nathalies Seite, mehr brauchte er nicht zu wissen. Als er nach einer Weile die Stille nicht mehr ertrug, stellte er das Radio an. Es lief Radio Nostalgie. Im Wagen erklang *L'amour en fuite* von Alain Souchon.

«Ach, das ist ja unglaublich!», rief Nathalie.

«Was?»

«Na, dieses Lied. Das ist ja verrückt. Das ist mein Lied. Und das kommt jetzt … im Radio.»

Mit Wohlwollen betrachtete Markus das Autoradio. Dieser Apparat hatte es möglich gemacht, mit Nathalie wieder ein Gespräch anzuknüpfen. Sie betonte nachdrücklich, wie seltsam und verrückt das war. Ein Zeichen. Aber was für ein Zeichen? Das konnte Markus nicht wissen. Es wunderte ihn, was für eine Wirkung dieses Chanson auf seine Gefährtin ausübte. Doch er kannte die merkwürdigen Zufälle, die es im Leben gab, die seltsamen Fügungen. Die Anlässe, die einen an der Vernunft zweifeln ließen. Als das Stück zu Ende war, bat sie ihn, das Radio wieder auszuschalten. Sie wollte dieses Lied, das sie seit eh und je so geliebt hatte, noch ein wenig in der Luft hängen lassen. Dieses Lied, das sie zum ersten Mal in dem gleichnamigen Film gehört hatte, dem letzten Teil der Abenteuer des Antoine Doinel. Sie war in diese Zeit hineingeboren worden, und ihre Gefühle waren vielleicht zu verwickelt, um sie zu beschreiben: Aber sie war in dieser Zeit verwurzelt. Sie war ein Spross dieser Melodie. Ihr sanftes Wesen, ihre gelegentliche Melancholie, ihre Leichtigkeit, all das gehörte ins Jahr 1978. Es war ihr Lied, ihr Leben. Und es war solch ein unfassbarer Zufall.

Sie hielten am Straßenrand. In der Dunkelheit vermochte Markus nicht zu erkennen, wo sie waren. Sie stiegen aus dem Wagen. Er bemerkte ein langes Gitter, das Gitter eines Friedhofstors. Dann bemerkte er, dass das Gitter nicht lang, sondern lang und hoch war. Es hätte ebenso gut ein Gefängnisgitter sein können. Tote sind zwar zu lebenslänglich verurteilt, doch dass sie ausbrechen, erscheint kaum vorstellbar. Da erhob Nathalie ihre Stimme.

«Hier liegt François begraben. In dieser Gegend hat er seine Kindheit verbracht.»

«...»

«Er hat mir natürlich nicht gesagt, wo er begraben werden will. Er wusste ja nicht, dass er sterben würde ... Aber ich bin mir sicher, er hätte sich diesen Ort ausgesucht ... die Landschaft, in der er aufgewachsen ist.»

«Verstehe», flüsterte Markus.

«Weißt du, das Lustige ist, dass ich auch hier in der Gegend groß geworden bin. Als François und ich uns kennengelernt haben, haben wir darin eine außergewöhnliche Fügung gesehen. Wir hätten uns als Teenager hundert Mal über den Weg laufen können, aber wir sind uns nie begegnet. Und in Paris sind wir uns dann in die Arme gelaufen. Als ... wären wir dazu bestimmt gewesen, uns zu treffen ...»

Bei diesem Satz hielt Nathalie inne. Doch in Markus' Kopf ging er noch weiter. Von wem sprach sie? Von François, schon klar. Aber vielleicht auch von ihm? Die Doppelbödigkeit ihrer Worte mehrte die Sinnbildlichkeit der Szene, die von einer Eindringlichkeit war, wie sie nicht häufig vorkommt. Seite an Seite standen sie am Fuße von François' Grab. Am Fuße der Vergangenheit, die nie anfängt aufzuhören. Über Nathalies Gesicht rann so viel Regen, dass die Tropfen von ihren Tränen nicht mehr zu unterscheiden waren. Nur Markus konnte sie unterscheiden. Er verstand es, ihre Tränen abzulesen. Die Tränen von Nathalie. Er rückte näher und schloss sie in seine Arme, als würde er ihren Schmerz umfassen.

109

Der zweite Teil von L'amour en fuite,
dem Lied von Alain Souchon,
das Markus und Nathalie im Auto hörten

Nous, nous, on a pas tenu le coup.
Bou, bou, ça coule sur ta joue.
On se quitte et y a rien qu'on explique.
C'est l'amour en fuite,
L'amour en fuite.

J'ai dormi, un enfant est venu dans la dentelle.
Partir, revenir, bouger, c'est le jeu des hirondelles.
À peine installé, je quitte le deux-pièces cuisine.
On peut s'appeler Colette, Antoine ou Sabine.

Toute ma vie, c'est courir après des choses
qui se sauvent:
Des jeunes filles parfumées, des bouquets de pleurs,
des roses.
Ma mère aussi mettait derrière son oreille
Une goutte de quelque chose qui sentait pareil.*

* Buh, buh, welch eine Pleite.
Buh, buh, dir läuft's runter an der Seite.
Es ist vorbei, warum ist nicht wichtig.
Liebe ist flüchtig,
Sie ist auf der Flucht.

Über Nacht lag da ein Kind in Spitzen und Schleifen.
‹Hin und her und weiter› ist das Lied, das die Schwalben pfeifen.
Zwei Zimmer, Küche, Bad, hinfort, ich war kaum drin.
Eine heißt Colette, der andere Antoine, die nächste Sabine.

Festhalten, was entgleitet, ist meines Lebens rotes Fädchen:
Tränensträuße, Rosengrüße, parfümierte Mädchen.
Meine Mutter schon hat sich allzeit betupft
hinterm Ohr mit einem ganz ähnlichen Duft.

110

Sie machten sich wieder auf den Weg. Markus wunderte sich, wie viele Kurven es gab. In Schweden gehen die Straßen immer geradeaus; sie laufen auf ein erkennbares Ziel zu. Er ließ sich hin- und herschaukeln und wagte nicht, Nathalie zu fragen, wohin die Reise führte. War das eigentlich wichtig? Es mag abgedroschen klingen, aber er war bereit, ihr bis ans Ende der Welt zu folgen. Wusste sie wenigstens, wohin sie fuhr? Vielleicht wollte sie einfach nur durch die Nacht rasen. Dahinrauschen, um sich selbst zu vergessen.

Endlich bremste sie. Diesmal vor einem niedrigen Gitter. War das der rote Faden, der sich durch ihre Irrfahrt zog? Verschiedene Arten von Gitterstäben. Sie stieg aus, machte das Gitter auf und setzte sich dann wieder in den Wagen. Ihre einzelnen Bewegungen zeichneten sich scharf voneinander ab, und Markus schien eine jede bedeutsam. Letztlich erschließen sich Details einer persönlichen Legende nur so. Der Wagen rollte einen schmalen Weg entlang und kam vor einem Haus zum Stehen.

«Hier wohnt Madeleine, meine Großmutter. Seit dem Tod meines Großvaters lebt sie allein.»

«Okay. Freut mich, sie kennenzulernen», gab Markus artig zurück.

Nathalie klopfte an der Tür, ein, zwei Mal, schließlich pochte sie etwas energischer. Immer noch nichts. «Sie hört ein bisschen schlecht. Wir gehen am besten einmal ums Haus herum. Sie sitzt bestimmt im Wohnzimmer, da sieht sie uns, wenn sie aus dem Fenster schaut.»

Um auf die andere Seite des Hauses zu gelangen, mussten sie einen durch den Regen vollkommen aufgeweichten Pfad benutzen. Markus hielt sich an Nathalie fest. Er sah so gut wie nichts. Falsche Seite vielleicht? Zwischen dem Haus und dem mit Brombeersträuchern gespickten Gestrüpp war kaum Platz, wo sie sich hindurchzwängen konnten. Nathalie rutschte aus und riss Markus im Fallen mit sich. Jetzt waren sie schlammbesudelt und durchnässt. In der Menschheitsgeschichte hatte es schon glorreichere Expeditionen gegeben, diese hier entwickelte sich zu einer Lachnummer. Nathalie verkündete:

«Am besten bewegen wir uns auf allen vieren fort.»

«Das ist ja wirklich nett mit dir», sagte Markus.

Als sie endlich die andere Seite erreichten, entdeckten sie die kleine Oma, die vor ihrem Kaminfeuer saß. Sie hatte die Hände in den Schoß gelegt. Dieser Anblick haute Markus geradezu um. Wie sie so dasaß und scheinbar selbstvergessen wartete. Nathalie klopfte ans Fenster, und diesmal hörte die Großmutter sie. Gleich hellte sich ihr Gesicht auf, und sie beeilte sich, das Fenster zu öffnen.

«Ach Schätzchen … was machst du denn hier? Was für eine freudige Überraschung!»

«Ich wollte dich besuchen … Ich hab's schon auf der anderen Seite probiert.»

«Ach ja, tut mir leid. Du bist nicht die Erste, die es da probiert. Na kommt, ich mach euch auf.»

«Nein, ich hab eine bessere Idee. Wir steigen durchs Fenster.»

Sie kletterten durchs Fenster und waren endlich im Trockenen.

Nathalie stellte Markus ihrer Großmutter vor. Diese strich ihm mit der Hand über die Wange, drehte sich dann wieder zu ihrer Enkelin um und sagte: «Ich glaube, er ist ein pfundiger Kerl.» Da setzte Markus ein breites Grinsen auf, als wolle er bekräftigen: Ja, stimmt, ich bin ein pfundiger Kerl. Madeleine fuhr fort:

«Vor langer Zeit hab ich auch mal einen Markus gekannt. Oder vielleicht hieß er auch Paulus … oder Charlus … Na ja, jedenfalls endete der Name auf *us* … aber ich weiß nicht mehr genau …»

Es entstand ein betretenes Schweigen. Was meinte sie mit «ich hab mal einen gekannt»? Nathalie lächelte und drückte sich an ihre Großmutter. Markus beobachtete die beiden und stellte sich Nathalie als kleines Mädchen vor. Vor ihm erstanden die 80er-Jahre wieder auf. Nach einer Weile erkundigte er sich:

«Wo kann ich mir denn die Hände waschen?»

«Ach ja. Komm mit.»

Sie nahm seine schlammbeschmierte Hand und führte ihn eilig ins Badezimmer.

Ja, da war es, das Mädchenhafte, das Markus mit ihr verband. Wie sie sich beeilte. Wie sie den bevorstehenden

Moment noch vor dem jetzigen erleben wollte. Sie hatte etwas Entfesseltes an sich. Nun standen sie Seite an Seite vor den zwei Waschbecken. Sie wuschen sich die Hände und lächelten sich geradezu dämlich an. Seifenblasen bildeten sich, viele Seifenblasen, doch nicht die Seifenblasen der Nostalgie. Markus dachte: Das ist die schönste Handwasche meines Lebens.

Sie mussten sich umziehen. Für Nathalie kein Problem. Sie hatte ein paar Sachen auf ihrem Zimmer. Madeleine wandte sich an Markus:

«Haben Sie Kleidung zum Wechseln dabei?»

«Nein. Wir sind spontan losgefahren.»

«Aus heiterem Himmel?»

«Ja genau, aus heiterem Himmel.»

Beide machten einen glücklichen Eindruck, nachdem sie die Worte «aus heiterem Himmel» hatten in den Mund nehmen dürfen, fand Nathalie. Der Gedanke an ein kurzentschlossenes Vorgehen schien sie zu begeistern. Die Großmutter schlug Markus vor, im Schrank ihres verstorbenen Gatten herumzustöbern. Er folgte ihr bis ans Ende eines Flurs, wo sie ihn sich selbst überließ, um sich etwas auszusuchen. Einige Minuten später erschien er in einem Anzug, der zum Teil in beige, zum Teil in einer namenlosen Farbe gehalten war. Sein Hemdkragen war so weit, dass sein Hals darin unterzugehen drohte. Die skurrile Aufmachung beeinträchtigte seine gute Laune in keiner Weise. Er fühlte sich beschwingt in seinen Kleidern und dachte sogar: Da flattert alles herum, aber mir geht's gut. Nathalie brach in schallendes Gelächter aus und vergoss dabei ein paar Tränen. Die Tränen, die sie lachte, rannen ihr über die Wangen, die kaum von den Tränen ihres Schmerzes getrocknet waren. Madeleine trat an Markus heran, doch er spürte, dass sie mehr auf den Anzug als auf ihn zuging. In jeder Falte lebte eine Erinnerung fort. Einen Moment lang blieb sie dicht vor ihrem Überraschungsgast stehen und rührte sich nicht.

111

Vielleicht liegt es am Krieg, den sie durchgemacht haben, jedenfalls haben Großmütter immer etwas zu essen im Haus, das sie ihren Enkelkindern anbieten können, wenn diese mitten in der Nacht mit einem Schweden aufkreuzen.

«Ich hoffe, ihr habt noch nicht gegessen. Ich hab eine Suppe gekocht.»

«Ach ja? Was für eine Suppe?», fragte Markus.

«Freitagssuppe. Wie soll ich das erklären? Wir haben heute Freitag, also gibt's Freitagssuppe.»

«Das heißt, in der Suppe ist keine Krawatte drin», folgerte Markus.

Nathalie beugte sich zu ihrer Großmutter hinüber:

«Er sagt manchmal so komische Sachen, Omi. Mach dir deswegen keine Sorgen.»

«Och, weißt du, seit Kriegsende mach ich mir eigentlich keine Sorgen mehr. Alles in Butter. Na los, setzt euch hin.»

Madeleine war voller Elan. Zwischen dem Tatendrang, den sie am Herd entfaltete, und dem anfänglichen Bild der alten Frau, die am Feuer saß, bestand ein himmelweiter Unterschied. Sie verbat sich jegliche Hilfe, als sie in der Küche herumhantierte. Die Geschäftigkeit dieser kleinen Maus rührte Nathalie und Markus. Alles schien so weit weg: Paris, die Firma, die Akten. Selbst die Zeit verflüchtigte sich: Die Erinnerung an den Nachmittag, der im Büro begonnen hatte, färbte sich schwarz-weiß. Allein die nach dem Wochentag benannte Suppe stellte einen Faktor dar, durch den sie ein bisschen in der Realität verankert waren.

Das Essen verlief schlicht. Schweigend. Bei den Großeltern geht der Rausch des Glücks, die Enkelkinder zu sehen, nicht zwangsläufig mit langen Tiraden einher. Man erkundigt sich, ob sie wohlauf sind, und dann erfasst einen sehr rasch die einfache Freude darüber, dass man zusammen ist. Nach dem Essen half Nathalie ihrer Großmutter beim Abwasch. Sie fragte sich: Wie konnte es passieren, dass ich ab einem bestimmten Zeitpunkt fast vergessen habe, wie angenehm es hier ist? Als würde sie damit all ihr jüngstes Glück gleich wieder zur Vergessenheit verdammen. Doch sie spürte, sie war stark genug, dieses Glück nun festzuhalten.

Im Wohnzimmer rauchte Markus eine Zigarre. Zwar vertrug er schon Zigaretten schlecht, aber er hatte Madeleine eine Freude machen wollen. «Es imponiert ihr, wenn die Männer nach dem Essen eine Zigarre rauchen. Frag nicht warum. Tu ihr einfach den Gefallen», hatte Nathalie Markus zugeflüstert, als er sich zu der Aufforderung irgendwie verhalten musste. Markus verlieh also seiner großen Lust auf eine Zigarre Ausdruck, mit eher laienhaft vorgegaukeltem Enthusiasmus, doch Madeleine sah nur Feuer und Flamme. So spielte Markus den normannischen Hausherrn. Was ihn wunderte: Er bekam gar keine Kopfschmerzen. Was ihn noch mehr wunderte: Er begann, an der Zigarre Geschmack zu finden. Männlichkeit durchströmte ihn, und er wirkte darüber nicht einmal überrascht. Er hatte das befremdende Gefühl, mit diesen vergänglichen Rauchschwaden das pralle Leben in sich einzusaugen. Diese Zigarre machte ihn zu Markus Magnus.

Madeleine war beglückt, ihre Enkelin lächeln zu sehen. Als François gestorben war, hatte sie so viel geweint: Es verging kein Tag, an dem Madeleine nicht daran dachte. Sie war in ihrem Leben Zeugin von allerlei Dramen geworden, doch dieses war das schrecklichste gewesen. Sie wusste, dass es weitergehen musste, dass man sich im Leben vor allem nicht unterkriegen lassen durfte. Insofern war sie nun zutiefst erleichtert. Und zu allem Überfluss war dieser Schwede ihr instinktiv richtig sympathisch:

«Er ist eine gute Haut.»

«So, so, woran merkst du das?»

«Das merkt man. Instinktiv. Er ist eine sehr gute Haut.»

Nathalie drückte ihre Großmutter noch einmal an sich. Es war Zeit, schlafen zu gehen. Markus machte seine Zigarre aus und sagte zu Madeleine: «Der Schlaf ist der Weg, der uns zur Suppe des nächsten Tages führt.»

Madeleine schlief unten, denn das Treppensteigen war ihr beschwerlich geworden. Die anderen Zimmer befanden sich im oberen Stockwerk. Nathalie sah Markus an: «So wird sie uns nicht stören.» Das konnte nun zweierlei heißen: sexuelle Andeutung oder die schlichte pragmatische Ansage, dass sie morgen früh in Ruhe ausschlafen konnten? Markus zerbrach sich besser nicht den Kopf. Ob er mit ihr schlafen würde, ja oder nein? Natürlich begehrte er sie, aber er sah ein, dass er noch nicht einmal daran denken durfte, während er diese Treppe hochstieg. Oben angekommen, fiel ihm als Erstes auf, wie niedrig die Decke war. Das war bereits das dritte Mal an diesem Abend, dass er sich beengt fühlte, nach den verschlungenen Wegen, die sie im Auto zurückgelegt hatten und dem matschigen Pfad, der um das Haus herumgeführt hatte. Von dem wundersamen Flur gingen mehrere Türen ab, hinter denen wohl lauter Zimmer lagen. Wortlos ging Nathalie einmal hin und her. Es gab hier oben keinen Strom. Sie zündete zwei Kerzen an, die auf einem kleinen Tischchen standen. Ihr Gesicht wurde orangefarben, aber eher Sonnenauf- als Sonnenuntergang. Auch sie war unschlüssig, extrem unschlüssig. Ihr war klar, es lag an ihr, eine Entscheidung zu treffen. Sie schaute in die Flamme, mit einem tiefen Blick. Und dann öffnete sie eine Tür.

112

Charles schloss die Tür. Er war außer sich, er hatte sich so weit von sich selbst entfernt, dass er einem Außerirdischen hätte begegnen können. Sein Gesicht schmerzte von den Hieben, die er im Tagesverlauf eingesteckt hatte. Ihm war deutlich bewusst, dass er sich schrecklich verhalten hatte, dass viel für ihn auf dem Spiel stand, sollte man in der schwedischen Zentrale Kenntnis davon erhalten, dass er einen Mitarbeiter aus persönlichen Gründen hatte versetzen wollen. Aber na ja, die Gefahr, dass die Sache aufflog, war gering. Er war sich sicher, dass die beiden nie wieder auftauchen würden. Die Umstände ihrer Flucht rochen nach etwas Endgültigem. Und ebendas verletzte ihn wohl am meisten. Dass er Nathalie nie wiedersehen würde. Alles seine Schuld. Er hatte sich wie ein Irrer aufgeführt, was er sich selbst furchtbar übel nahm. Ihr nur einen Augenblick gegenüberstehen, um zu versuchen, sie um Verzeihung zu bitten, das dick Aufgetragene wieder abzutragen. Endlich die richtigen Worte finden, die er so lange gesucht hatte. In einer Welt leben, in der es noch die Chance gab, dass Nathalie ihn eines Tages lieben würde, in einer Welt, auf der alle da gewesenen Gefühle gelöscht werden würden und auf der er ihr ein zweites Mal zum ersten Mal begegnen könnte.

Nun ging er ins Wohnzimmer. Und da bot sich ihm der unvermeidliche Anblick, seine Frau, die auf dem Sofa lag. Ihm kam die abendliche Szene vor, als betrete er ein Museum, in dem ein einziges Bild hängt.

«Na du?», wisperte er.

«Na?»

«Hast du dir gar keine Sorgen gemacht?»

«Weswegen?»

«Wegen vergangener Nacht.»

«Äh nein … Was war denn vergangene Nacht?»

Laurence hatte ihren Kopf kaum bewegt. Charles hatte mit dem Nacken seiner Frau gesprochen. Er realisierte, dass sie seine Abwesenheit vergangene Nacht nicht einmal bemerkt hatte. Dass zwischen ihm und dem Nichts keinerlei Unterschied bestand. Ein Abgrund tat sich auf. Am liebsten hätte er sie geschlagen: die Rechnung des Tages beglichen. Ihr wenigstens eine Ohrfeige geben, doch seine Hand mochte sich nicht so recht entscheiden. Er betrachtete sie. Seine Hand hing in der Luft, einsam und verlassen. Plötzlich fiel ihm ein, dass er es ohne Liebe nicht mehr aushielt, dass er in einer gefühlskalten Welt zu erfrieren drohte. Nie schloss ihn jemand in die Arme, niemand zeigte ihm je seine Zuneigung. Warum war das so? Er hatte sein Zartgefühl verlernt. Er lebte jenseits der Empfindsamkeit.

Langsam ließ er seine Hand in die Haare seiner Frau sinken. Er war ergriffen, tief ergriffen, auch wenn er nicht ganz verstand, woher diese Gefühlswallung kam. Er dachte sich, dass seine Frau schönes Haar hatte. Vielleicht kam es daher. Seine

Hand glitt weiter nach unten und befühlte ihren Nacken. An manchen Stellen ihrer Haut spürte er noch die Überreste seiner einstigen Küsse. Andenken an das Feuer seiner Leidenschaft. Vom Nacken ausgehend, wollte er den Körper seiner Frau zurückerobern. Er schlich um das Sofa herum, um die Sache frontal anzugehen. Er ging in die Knie und versuchte, sie zu küssen.

«Was machst du denn da?», fragte sie mit belegter Stimme.

«Ich will dich.»

«Jetzt?»

«Genau, jetzt.»

«Du meinst wohl, du kannst mich überrumpeln.»

«Was denn? Muss man für einen Kuss erst einen Termin mit dir vereinbaren?»

«Nein … Blödmann.»

«Und weißt du was, ich hab noch eine Idee.»

«Was?»

«Wir könnten nach Venedig fahren. Genau, da werd ich mich mal drum kümmern … Wir fahren übers Wochenende nach Venedig … Nur du und ich … das wird uns guttun …»

«… Du weißt, ich werde leicht seekrank.»

«Na und? Ist doch egal … Wir fliegen ja hin.»

«Ich meine wegen der Gondeln. Ist doch schade, wenn man keine Gondelfahrt machen kann, wenn man schon in Venedig ist. Findest du nicht?»

113

Gedanke eines anderen polnischen Philosophen

Nur Kerzen wissen, wie es ist, mit dem Tode
zu ringen.

114

Nathalie trat in das Zimmer, in dem sie auch sonst immer geschlafen hatte. Im Schein der Kerzen schritt sie voran, obwohl sie jeden Winkel des Raums so genau kannte, dass sie sich auch im Dunkeln zurechtgefunden hätte. Sie wies Markus den Weg, der sie an den Hüften gefasst hielt und sich so vorwärtsschob. Er erlebte die lichteste Dunkelheit seines Lebens. Ihn überkam die Befürchtung, eine solche Glückswucht könne seine Manneskraft zum Erliegen bringen. Ein Übermaß an Erregung hat oft eine lähmende Wirkung. Nicht dran denken, sich einfach tragen lassen von jedem Augenblick. Jeder Atemzug eine Tür zu einer neuen Welt. Nathalie stellte die Kerzen auf den Nachttisch. Sie standen sich gegenüber, im Wogen ihrer sich wiegenden Schatten.

Sie legte den Kopf an seine Schulter, er strich durch ihr Haar. In dieser Haltung hätten sie verweilen können. Eine Liebe, die im Stehen schlief. Aber es war grässlich kalt. Die Kälte kam auch von der Unbelebtheit; hier wohnte ja niemand mehr. Sie mussten sich den Raum erst zurückerobern, die Erinnerungen mit neuen erinnernswerten Geschehnissen auffüllen. Sie schlüpften unter die Decke. Markus streichelte unermüdlich Nathalies Haare. Er war so vernarrt in sie, er wollte mit jedem einzelnen Bekanntschaft schließen, seine Geschichte hören und seine Gedanken kennenlernen. Er trug sich mit dem Gedanken, eine Reise in ihr Haar zu unternehmen. Für Nathalie war die Empfindsamkeit dieses Mannes, der darauf bedacht schien, nichts zu überstürzen, angenehm. Dennoch war er nicht untätig. Gerade zog er sie aus, und sein Herz pochte dabei mit bis dahin nicht gekannter Heftigkeit.

Nun drückte sie sich nackt an ihn. Die Gefühle, die ihn überwältigten, waren so stark, dass seine Bewegungen langsamer wurden. So langsam, dass es fast schien, als wolle er zurückweichen. Eine ungeheure Angst zehrte an ihm, machte ihn konfus. Sie liebte diese Momente, in denen er sich ungeschickt anstellte, unschlüssig war. Sie erkannte, dass sie sich, wenn sie an Männern wieder Gefallen fand, am meisten nach einem Mann gesehnt hatte, der im Umgang mit Frauen nicht unbedingt geübt war. Gemeinsam würden sie die Gebrauchsanweisung der Liebe von vorn studieren. Die Vorstellung, mit Markus zusammen zu sein, hatte etwas äußerst Erholsames. Vielleicht war es ein eingebildeter oder oberflächlicher Gedanke, aber sie glaubte, dass er mit ihr immer glücklich sein würde. Sie hatte das Gefühl, dass sie in einer sehr soliden Beziehung leben würden. Die durch nichts zu erschüttern war. Dass die Addition ihrer beiden Körper den Tod neutralisieren konnte. All das ging ihr schubweise durch den Kopf, ohne dass sie sich ihrer Sache recht sicher war. Sie wusste nur, der Zeitpunkt war gekommen, und in solchen Augenblicken entscheidet immer der Körper. Er lag nun auf ihr. Sie klammerte sich fest an ihn.

Tränen rannen über ihre Schläfen. Und er küsste ihre Tränen fort.

Doch aus diesen Küssen entsprangen neue Tränen, seine diesmal.

115

Der Anfang des siebten Kapitels von
Rayuela. Himmel und Hölle,
des Buchs von Julio Cortázar,
das Nathalie am Anfang dieses Romans las

«Ich berühre deinen Mund, mit einem Finger berühre ich den Saum deines Mundes, zeichne ihn, als entstünde er aus meiner Hand, als öffnete er sich zum ersten Mal, und ich brauche nur die Augen zu schließen, um alles wegzuwischen und von vorne anzufangen, jedes Mal lasse ich den Mund entstehen, den ich begehre, den Mund, den meine Hand auswählt und in dein Gesicht zeichnet, ein Mund, ausgewählt unter allen Mündern, mit souveräner Freiheit erwählt durch mich, um ihn mit meiner Hand in dein Gesicht zu zeichnen, und durch einen Zufall, den ich nicht zu begreifen versuche, ist es ein Mund, der sich mit deinem Mund deckt, welcher lächelt unter dem Mund, den meine Hand für dich zeichnet.»

116

Der Morgen dämmerte. Es war, als hätte es keine Nacht gegeben. Markus und Nathalie hatten abwechselnd gedöst und wach gelegen, so waren Traum und Wirklichkeit fließend ineinander übergegangen.

«Ich würd gern runter in den Garten gehen», sagte Nathalie.

«Jetzt?»

«Ja. Als ich klein war, hab ich das immer gemacht. Im Morgengrauen herrscht da eine eigenartige Stimmung, wirst du gleich merken.»

Sie standen schnell auf und zogen sich langsam an.* Entblößten und besahen sich im matten Licht. Kein Problem. Lautlos schlichen sie die Treppen hinunter, um Madeleine nicht zu wecken. Eine überflüssige Rücksichtnahme, denn diese machte eh kaum ein Auge zu, wenn Besuch da war.

* Vielleicht war es auch umgekehrt.

Aber sie wollte nicht stören. Sie wusste, wie sehr Nathalie die morgendliche Ruhe im Garten genoss (jeder hat so seine Rituale). Sobald sie aufwachte, setzte sie sich auf ihre Bank, das hatte sie schon immer getan, wenn sie hierherkam. Die beiden waren nun draußen. Nathalie hielt inne und betrachtete alles ganz genau. Die Zeit mochte vergehen, das Leben mochte aus den Fugen geraten, aber hier blieb alles beim Alten: die Sphäre des Unveränderlichen.

Sie setzten sich auf die Bank. Das wahre Wunder, das die Sinnenfreuden vollbringen, war eingetreten. Ein Märchenwunder, das der Vollkommenheit ein paar Augenblicke zu entreißen versteht. Augenblicke, die man sich schon im Moment, in dem man sie erlebt, ins Gedächtnis schreibt. Augenblicke, auf die sich die zukünftige Nostalgie gründet. «Mir geht's gut», sagte Nathalie leise, und Markus war richtig glücklich. Sie stand auf. Er beobachtete sie, wie sie zwischen den Blumen und Bäumen umherging. Süß verträumt lief sie ein paarmal hin und her und ließ ihre Finger über alles, was sie zu fassen bekam, streichen. Sie hatte hier ein sehr inniges Verhältnis zur Natur. Dann blieb sie stehen. Gegen einen Baum gelehnt.

«Wenn ich mit meinen Cousins Verstecken gespielt habe, musste man sich mit dem Gesicht zum Baum stellen und zählen. Ganz lange zählen. Bis 117.»

«Wieso bis 117?»

«Einfach so, keine Ahnung! Wir haben diese Zahl eben ausgemacht.»

«Wollen wir Verstecken spielen?», schlug Markus vor.

Nathalie schenkte ihm ein Lächeln. Es entzückte sie, dass er mit ihr Versteck spielen wollte. Sie wandte ihr Gesicht zum Baum, schloss die Augen und begann zu zählen. Markus rannte los, auf der Suche nach einem guten Versteck. Doch vergebliche Liebesmüh: Hier war Nathalies Revier. Sie würde die besten Schlupflöcher schon kennen. In Gedanken suchte er die Winkel ab, in die sie sich wohl einst verkrochen hatte. Ein Streifzug durch Nathalies Entwicklungsphasen. Mit sieben hatte sie sich hinter diesem Baum versteckt. Mit zwölf hatte sie sich bestimmt in jenen Busch geschlagen. Als Jugendliche hatte sie von Kinderspielen nichts mehr wissen wollen und war schmollend an den Brombeersträuchern vorbeigezogen. Und im Sommer darauf, als junge Frau, hatte sie sich auf diese Bank gesetzt, in poetisch verträumter Pose, und romantische Hoffnungen im Herzen getragen. Die junge Frau hatte an mehreren Stellen Spuren hinterlassen, und hinter diesen Blumen hatte sie vielleicht sogar mit François geschlafen? Er hatte ihr so lautlos wie möglich, damit die Großeltern nicht aufwachten, das Nachthemd vom Leibe reißen wollen, und dann hatte er sich an ihre Fersen geheftet, Spuren eines entfesselten, stummen Wettlaufs durch den Garten. Schließlich hatte er sie sich geschnappt. Sie hatte versucht, sich zu wehren, wirkte jedoch nicht allzu überzeugend. Sie hatte ihren Kopf weggedreht und sehnsuchtsvoll auf weitere Küsse gewartet. Sie hatten sich beide durch den Garten gewälzt und dann lag sie plötzlich alleine da. Wo war er? Hatte er sich irgendwo versteckt? Er war weg. Er würde nie zurückkommen. Da war eine Stelle, die unbewachsen war. In einem Anfall von Tobsucht hatte Nathalie das ganze Gras herausgerissen.

Und hier hatte sie gelegen wie ein Häufchen Elend, stundenlang, und das Zureden ihrer Großmutter, die wollte, dass sie wieder ins Haus kam, half nichts. An genau dieser Stelle trat Markus auf ihren Schmerz. Er ging durch das Tränental seiner Liebe. Immer noch auf der Suche nach einem Versteck sollte er auch solche Stätten aufsuchen, die Nathalie erst später erreichen würde. An manchen Punkten stellte er sich bewegt die alte Frau vor, die sie einmal sein würde.

So fand er im Herzen all dieser Nathalies einen Platz, der ihm als Versteck diente. Er machte sich so klein, wie es ging. Komisches Gefühl, an dem Tag, an dem er sich groß vorkam wie nie zuvor. In seinem Körper erwachten überall die Sprosse des Unermesslichen. Als er seinen Platz eingenommen hatte, begann er zu lächeln. Er erwartete sie glücklich, wartete so glücklich darauf, dass sie ihn entdeckte.

117

Nathalie öffnete die Augen.

ENDE

330 S. Geb. € 17,95
ISBN 978-3-406-63947-0

Der junge Held dieses Romans lebt in einem Zustand «permanenter Unschlüssigkeit», als sein Großvater stirbt, seine Großmutter nicht nur ins Altenheim, sondern auch wieder in die Schule, sein Vater in Rente und seine Mutter nach Russland geht – und all das kurz hintereinander. Was bleibt ihm anderes übrig, als in den Tiefen der Pariser Nacht seine ruhmreiche Zukunft als Schriftsteller hinter der Rezeption eines kleinen Hotels vorzubereiten? Wenn sich alles verändert, was bisher unverrückbar schien, braucht man schließlich etwas, was einem Halt gibt. Eine Frau zum Beispiel. Doch wo finden? Auf einer Beerdigung etwa? Wohl kaum. Am Ende kommt doch wieder alles anders. David Foenkinos' neuer Roman ist ein anrührendes, packendes und komisches Buch über das Altern und die alles überdauernde Kraft der Liebe und des Lebens.